新視界叢書001

生活簡單就是享受

作者⊙愛琳・詹姆絲
譯者⊙吳　達

推薦序一　自勝者强・知足者富

中央大學哲學研究所教授　王邦雄

科技文明帶來了空前的富有，而心靈卻空虛貧乏；人潮車隊已然癱瘓了都會的街頭，而精神卻孤單寂寞。一方面飢渴的在街頭求取，一方面遊魂般的在人間飄蕩，這是現代人的存在環境。

現代的文明已走到了盡頭，迷幻的街景也終究成空，心靈在睡夢中覺醒，精神正尋求自己的出路。新儉樸運動，成了後現代的新風尚。

新人類的新氣象，就在回頭過儉樸的生活。儉不是物質的貧乏，而是精神的自在；樸不是生命的空虛，而是心靈的單純。老子說：「自勝者强。」又說：「知足者富。」克制我心狂野，才是真正的强者，回歸內在的純真，才是真正的富有。原來，儉樸是回歸自我的真實，與自然的和諧。這部流動著靈感創意的書，給出了道家式的生命智慧。

推薦序二　單純心・自在心

台大臨床心理學博士，任教東華大學　余德慧

簡單、乾淨的生活方式已經成爲現代生活的基本修煉之道。做爲一個臨床心理學家，對許多人把生活弄得零碎與雜亂感到憂心，把生活弄得緊張焦慮感到很不衛生；因此，我很贊同過著簡單豐富的生活：專心一致的單純心，在心靈裡營造豐富的內心生活，而不是忙碌零碎，擁有太多的物質却空乏其心。「生活簡單就是享受」，從居家的日常生活提出一百種具體的方法，而「簡化生活，從內心開始」，則把心靈的簡單豐富用一百種方法來實踐，都深得我心，這兩本書抓住了簡淨生活的核心，使簡單不是懶惰消極，反而是積極的自在。

編按：《心靈簡單就是美》爲作者繼《生活簡單就是享受》一書暢銷後之力作；本公司將於近期出版，敬請期待!!

推薦序三　返樸歸眞的生活

比利時魯汶大學哲學博士　石朝穎

生活在二十世紀末現代化社會裡的人，生活的方式，已變得愈來愈複雜。因爲，我們的生活幾乎已被各類商業資訊活動所統治。我們生活的四周，已充斥著各類的商業廣告：各種精美的食物、飲料、化裝品、電器用品……都在刺激我們的購買慾。我們生活的中心，已轉移到商品的消費上。生活的目標是物質享樂，以及如何獲得一些製造這些商品的知識。現代都市人的這種「人格商品化」，已使得人和自己內在完整的心靈分裂出來。現代商業都市文明裡的人，已愈來愈在「身、心、靈」上，失掉了平衡。因此，生活在大都市裡的現代人，普遍有不安、焦慮、倦怠和絕望的心理傾向。換句話說，我們已得了一種所謂的「文明病」！

當我讀完愛琳・詹姆絲女士的這本「生活簡單就是享受」的書時，我高興的

發現，這本書裡所提供的100則幫助我們過「返樸歸真生活」的具體方法，正好能對治我們這個時代的「文明病」！

從本書中的一些實例，我們不難看出：這本書的作者，是真的用自己的「生活」，去實踐她自己創造出來的過簡樸生活的法則。而且，這些法則幾乎包括了「身、心、靈」三個層次。所以這是一本真正能用深入淺出的文字，告訴我們如何去過一種更「自在」、更能真正做自己主人的生活指南書，值得大家參考！

目錄

第二篇　你的生活型態

第三篇 你的財務

第四篇 你的工作

第五篇　你的健康

第六篇　你的個人生活

第七篇　對婦女的叮嚀

第八篇　簡化生活的物質需求

譯序

幾千年來，各種經典都教人要過簡單質樸的生活，但是，人們都不知如何著手。坊間也有許多勸人簡單過日子的書籍，可惜的是，讀者看完之後是心有餘而力不足，很難把書中抽象的想法，切入實際的生活中。

愛琳・詹姆絲女士的這本書，則是一本教人如何過簡單日子的好書。這本書的好，在於它是經過親身經驗的結晶；在於它有實際、具體的方法；在於它的生活化和淺白易懂。

本人在譯書的過程中，深受本書影響，生活也做了些許改變，至少比過去簡單自在一些，這是我的收穫。希望讀者也可以從本書得到生活上的共鳴。

吳達　于台北

作者的話

讓你的生活之舟，只承載你所需要的東西，例如：你只要一個樸素的家和一種單純的喜悅；一個或兩個值得交的朋友；一些你愛的或是愛你的人；一隻貓；一隻狗；一支或兩支笛子；剛好足夠的食物和衣服；還有稍微多一點的水分；因爲缺水口渴是一件很危險的事。

——Jerome Klapka Jerome

幾年前，我坐在書桌前慵懶地看了我的行事曆一眼，這本行事曆是以一種時間管理模式來設計的。這本行事曆塞滿著行事表、電話欄、時間規劃表、開會格言、目標設定表、高效率圖表和五到十年的生涯規劃表。忽然間，我意識到我不應該再過這麼複雜的生活了。

我立刻拿起話筒安排了週末的渡假行程。我把那本時間管理的本子留在家

裡，只帶了一本筆記本去渡假，我知道，我有許多事情要做。

我們這一代的人，像是我先生吉伯斯和我，都已經接受了一九八〇年代中「大就是好」和「多就是好」的觀念。我們擁有大房子，擁有大型轎車，幾乎無所不有的便利，以及許多典型「雅皮」生活型態該有的玩具。然後，我們漸漸會覺察到，面對生活中許許多多被複雜化的事物，與其說是我們太投入生活，不如說是不願意承認我們把生活複雜化這個事實。我們都知道沒有必要去和別人比較，但是，到了最後，我們總免不了要面對在飽食豐盛午餐後，唯一得到的只是消化不良的事實。眼前，應該是我們脫離紛亂生活的時候了。

過了幾天，我獨自徜徉於渡假屋的寧靜角落，列出一些藉著簡化生活來改善我們生活品質的事項。當我回到家，我和吉伯斯坐在一起討論這些事。令人高興的是，他同意我所提出的全部重點和大部分改變細節的建議。

首先要做的是清除掉那些用不到的東西（第1法）。我們跨出了重要的一步，把家搬離郊外，因此，我們可以在靠近我們住的地方工作（第51法），而且，我們還可以做一些真正想做的事（第52法）。在計劃進行當中，我們搬到一

間比較小的房子（第9法）。在幾年後，我們也簡化了用餐的習慣（第57法），合併我們的各項投資（第46法），賣掉那該死的遊艇（第21法），檢討我們的購物習慣（第40法），斷然地減少對物質及服務的需求（第42法）。一步一步地，我們漸漸實現這本書所提到的構想。

當我們執行這個簡化計劃時，我們心中設定了三個明確目標。第一，我們要把生活中的需求，像是房子、車子、衣服、餐點、財務等，降到我們可以很輕鬆管理的程度。

第二，我們要從各種承諾、人羣和束縛中解脫出來，好讓我們有時間去做那些自己想做的事。我們下定決心不再去做那些我們認爲該做的事。這麼做不僅爲我們省下很多時間，也可以因爲不用做那些我們不喜歡做的事，減少很多壓力。

第三，我們要生活和慾望可以得到一致，並且和環境和諧相處。

對我們來說，簡化生活並非是六〇年代「回歸自然」的運動，雖然我們真的想要在生活中擁有更多的自然，而且我們已經擁有了。雖然這本書中將近一半的建議，會使你減少開銷，但是節約生活並不是這本書的重點。就我們而言，簡化

生活意味著降低生活等級，但保持舒適性，剔除複雜性，而且把我們在一九八〇年代下的生活需求，降到最低限度。

當我們開始進行簡化生活時，我渴求有一些先進的引導。我在圖書館和書店中細心搜尋。當我蒐集了爲數可觀的有關簡化生活哲學的書籍，我卻無法從這些著作中找出任何可以實際執行的具體事項。於是，我們只好靠著辛苦摸索地往下走。

每當我們完成一個簡化生活的重要步驟時，會發現其他更多有助於簡化生活的小細節，而我們也會把這些發現增添進來。因此，我可以得出個結論：如果我們兩個屬於比較理性的人，都已經陷入一種狂亂的步調和八〇年代的流行式的消費潮流中，那麼，除了我們之外，勢必有更多理性的人在過著同樣的生活，而這些人也必然在尋找可以簡化他們生活的具體辦法。因此，我決定將我們實際執行過的簡化生活事項彙編起來，加上我們從一些志同道合朋友身上學來的東西，寫成這本書。

像我們一樣，你的生活可能也已經複雜到必須實踐本書的部份或是全部建議

了。或者，你只需要實行一項或兩項就可以了，像是整理一下你的人際關係（第72法），改變你的期待（第88法）等，當你需要享受生活中其他領域的樂趣時，這些方法都將提供一個簡化生活的依據。在任何情況下，請牢牢記住一個觀念：一個人的生活簡化，將會造成另一個人的複雜化。當我們決定從假日中退出（第33法），我們是可以得到很大的自由，但是，這個決定也可能讓我們的生活增加更多難以言喻的複雜性，你必須自己判斷。

綜觀整個人類歷史，每一個重要文化中有智慧的男性和女性，他們並沒發現更多的「擁有幸福的秘密」，充其量只是對幸福的需求減少罷了。九〇年代看起來似乎是仍然存在一些美好事物，像是人們可以任意放棄任何令人不快樂的事物，而且能統合八〇年代的經驗，追求一種質樸的生活，並非一味地執著九〇年代優雅的生活，進而朝下個世紀前進。因此，我們可以像梭羅（Henry David Thoreau，美國作家及哲學家）一樣，從簡樸生活和時代的運動中得到許多好處。讓我們簡化生活，並且從中享受它的樂趣吧！

第一篇　你的家庭

1 減少生活中的雜亂

跨出簡化生活的一個重要步伐，就是消除那些會弄亂你的房子、車子、辦公室及生活的可能性和零碎事物。如果你決定搬到一個較小的房子（第19法），無疑的，「削減」是必須的動作。當你開始執行你的計劃去減少混亂時，你的指導原則很簡單，那就是：如果有些東西是你在一年內或是更長的時間內不會用到的，那麼就丟棄它們吧！

這裡提到的丟棄，可以有很多種情況：送給朋友、當作公關交際品、交給寄賣商店、送到跳蚤市場賣掉，或是交給收破爛的。

要清理雜物，可以從你的衣櫥和相關的地方開始。清理出房子中每個房間裡的每一個衣櫥、每一個抽屜、每一個架子，包括廚房。你真的同時需要一個全套的廚房設備和一個迷你型的廚房設備以及同時擁有一個手動切肉器和攪肉器嗎？（見第35法中如何清理雜物的建議。）不要忘了清理前廳中的衣櫥、專放棉織品

的衣櫃、工具箱和醫藥箱。（見第66法，此法將讓你在決定要保留什麼物品時，節省許多時間。）還要記住洗衣房、車庫、閣樓、地下室、辦公室、車子和任何你租來、借來儲存東西的地方。

當我和我先生開始清理的工作，才驚訝地發現，我們竟然堆積了這麼多用不到的雜物。把這些雜物清理掉，使我們得到一種非常深刻的解脫經驗。

不久之後，我們也發現到，我們現有的生活空間，遠超出我們實際需要的空間太多了。因此，我們決定從現有的大房子搬到一個小公寓去住。在搬家的過程中，我們進行了第二波的清理活動，把那些我們沒有空間儲放的東西，全部清理掉，這也讓我們從另一種負擔中解脫出來。

後來，我們發現到，經過一兩年的精進簡化生活計劃的過程，我們處理那些用不到雜物的手法，是愈來愈得心應手。或許，在你清理櫥櫃的第一或第二回合中，你還沒想到要丟棄任何東西；但是，我敢保證，一旦你從這種經驗中，嚐到了那種解脫的快感，你會對於清理雜亂的事，有愈來愈簡單的感受。

你可以利用一個或兩個週末下午，來完成初期的清理工作。最好讓你的孩子

一起來完成這些工作，對孩子來說，這是讓他們學習如何在幼時保持整潔生活的最好方法。不要猶豫，立刻規劃出時間，然後開始進行吧！

切記！這個建議並非要你否定你所需要的東西，而是要讓你從那些你不需要的東西中解放出來。

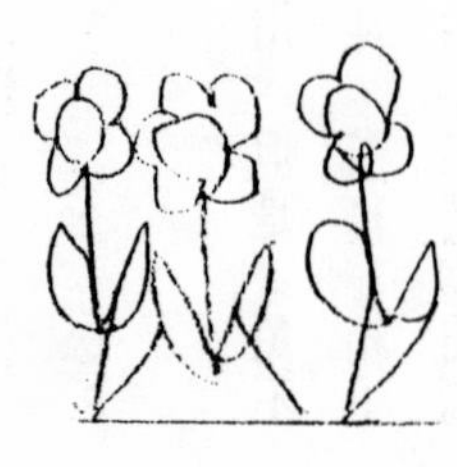

2 運用「大衛」的清理方法

我們的朋友大衛，自詡他清理用不到雜物的方法，非常有用。但是，免不了還是要丟棄東西。他的方法是：把用不到的雜物裝在一個箱子裡，然後在箱子外面貼上標籤，上面標示著從現在起兩年或三年後的一個日期，但是不要寫出箱子裡有什麼東西。然後，把這些箱子放到閣樓或是地下室，或是你便於儲放的任何地方。接著，一年一次檢查這些箱子上的日期。當你查到某些箱子上的日期已經過期時，你最好連箱子都不要開，直接就把箱子丟掉。因爲你根本不知道箱子裡面裝的是什麼東西，所以你也不會心疼。

當然了，如果你可以養成好習慣，不要把雜物堆在原先的地方，這倒是個讓生活免於雜亂的好方法。因此，每當你在衣櫥後面或是漆黑閣樓中堆積物品時，最好問一下自己：「我有必要這樣做嗎？或者，我應該就此打住？」然後，立刻訓練自己把那些用不到的東西丟出去。

3 運用「快速清理法」打掃房子

如果你真的降低了生活上有形和無形的需求（第42法），你可能已經把家中的清潔女傭開除了。不管你是自己操持家務還是請傭人幫忙，你都應該讀一本名叫《快速清理》的書，這本書是由傑夫・康貝爾和一個清潔小組所寫的。你只要花不到三十分鐘的時間讀完這本書，就可以省下一半以上的清理房子的時間和費用。

我自認爲是一個做事很有效率的人，但我卻從來沒有想到書中所提到的一些簡單又省時的小技巧。例如，「簡易行事和步驟」圖表可以確實地告訴我們，如何去規劃一個房間接著一個房間的房子清理程序。所以，你可以從上到下，或是從左到右地，不需要重覆來回，就可以全面清理一個房間和一整棟房子。

一個運用「快速清理法」的人，要在一個多小時內，徹底地清理一棟三十多坪的房子，這確實是有可能的事。一旦你運用了「快速清理法」來清理房子，你

就不需要每個禮拜都清理一遍。因爲，這種「快速清理法」是如此地有效，通常每隔二週或是每個月（根據自己的環境而定）清理一次應該就足夠了。

4 將購物時間削減一半

我所認識的大部分人，他們發現自己一個禮拜至少要跑超級市場二到三次，有的人還要更多。

我的一個朋友，就是一個極端的例子。她在一個禮拜中的每一天都要去購買食物。她是一個已婚但還沒有小孩的職業婦女，她每個月要花將近一千元爲她和丈夫添購食物。雖然她嘴裡宣稱非常討厭購物，但是她從來没有想過要爲自己的餐點和購物作個規劃。（她的理由是她要確定每天所買的東西是新鮮的，照我看來，那麼冰箱不知是幹什麼用的。）她持續不停地花掉更多的時間、金錢和精力去買那些遠超過她所需要的東西，而她最後也丟棄了多得令人不敢想像的食物，原因是她常在衝動之下，買下很多她不需要的東西。

當我們開始實行簡化生活的工作，要做的第一件事是：縮減生活用品的購買等瑣碎雜務，因爲我常在食品店裡閒晃，這是我消磨時間的最無趣方法之一。因

此，我定出一個將每個禮拜花在購物的二～三小時，至少削減爲一半的目標。

我坐在電腦前面，列出我可能需要的所有食物採購項目。然後，我將這些項目根據我常去的商店陳列走道，按次序地在一張表上排列起來。我將這張表影印了一、二十份，這些列表放在廚房的架子上，當我需要這張表時，就可以拿新的來使用。當我們想改變用餐的型態時，這張表可以很容易地更新。

現在，在我購物之前，我會坐在廚房的餐桌前，草擬一個禮拜的用餐規劃。然後，我會透過電腦來列表和核對一下我所需要的購買項目。一旦我進入廚房，我就可以立刻發現什麼東西用完了，而且在列表上註明。

這整個過程，從製作表格、進商店購物到帶著購買商品離開，才花了一個小時又多一點的時間，而且，我幾乎沒有忘了該買的東西，又折回去商店的經驗。當然了，我們也簡化了進餐的習慣（第57法），僅僅藉著這張表，我們實質上削減了整個月的飲食開銷，而且爲我們增加了更多的自由時間。

運用電腦列表的另外一個好處是，如果你是家裡的主要採購者，一旦你有事不能去購物，你的另一半或是孩子，也可以很容易地根據這張表完成採購工作。

5 一次大量採購

另一個簡化你購買雜物的方法是：一次大量採購。我們似乎都沒有一個儲放空間，而我也從來沒有花時間，好好坐下來想一想：有什麼東西是可以大量採購的。當我們開始自己製造燕麥麩鬆餅（第61法），等我們用掉很多燕麥麩後，才發現大量採購燕麥麩，反而是一件比較輕鬆的事。

當我發現買燕麥麩這件事簡省了許多時間、精力和包裝時（還未牽涉到錢），我開始去思考是否有其他東西可以大量採購的。我很驚訝那張購物清單，可以應用的地方，竟然有這麼多。現在，我另外作了一張大量採購的清單，裡面的項目有：紙毛巾、衛生紙、清潔劑、除垢劑、寵物食品、牙膏、洗髮精、刮鬍水、米、穀類、豆類、果類和烘烤必需品。

在一年之中，我總有一次或兩次的機會，到住家附近的量販店去大量採購上述物品。自從我們把橱櫃和架子上許多用不到的雜物清除了以後（第1法），我

們就空出了許多空間來放這些補給品，而我們也從來不會用完我們所需要的東西。

當你有大量採購的念頭時，千萬記住：在量販店中，並非所有的東西都是比較便宜的。所以，當你要採購時，你最好知道你想買的東西，一般的價格是多少。若不是如此，那麼你必須能避免花太多錢。因爲，大量採購的目的就是省錢，爲什麼你還要多花錢呢？其次，你會發現，在大量採購時有一張明細清單，對你來說是一件非常輕鬆的事。除非，你遇到一個非常誘惑你的商品，雖然你不是很需要這個東西，但是你絕不能錯過，因爲它的價格實在是太低了。

除了可以節省我們的時間和金錢外，大量採購最大的好處之一，就是可以減少可回收的包裝物。事實上，許多量販店，特別是消費合作社，鼓勵消費者攜帶自己的購物袋和容器，這種作法可以減省更多的包裝物。

6 開闢菜園

我們有一些朋友，他們已經藉著開闢一個菜園來簡化購物活動。他們整年的穀物，是由前院的種植機所栽種出來的。他們有新鮮的蕃茄、胡椒、綠豆、朝鮮薊、黃瓜和不同品種的南瓜，以及有伸展性的植物花園。他們有一個定時灑水的自動灌溉系統。他們從不用去翻動泥土，當農作物成熟，就把成熟的作物拔出來，加入一些新的護根物，再種入新的植物。耕種機是在一個輪盤上，可以輕易地迴轉，好隨著季節的不同，獲得最多的陽光。他們很少噴灑除蟲劑，如果一定要噴灑，他們也會使用一種由清潔劑和水，以一比一〇比例合成的有機混合物。他們都是專業人士，都必須投入大量的時間在工作上。在幾年前，他們就下定決心，每當他們需要一個新鮮的蕃茄時，寧可花時間去照顧他的農作物，也不願跑到市場去買。他們從桌上大量農作物的來源中，得到非常大的滿足感，至少這些農作物不是自然長成的。他們從照料這個簡單的菜園中，得到很大的樂趣，他們

也很喜歡那種和自然接觸的感覺。他們也刻意讓自己的小兒子，加入這種照料菜園的例行工作。小兒子的加入，不僅給了他們很大的幫助，而且，他也有了感激植物和大自然的體會，這是他從來没有的經驗。他們也很珍惜這種全家人一起幹活的機會，也都享受著這種家庭活動的樂趣。

7 在同一個地方辦完所有的事

我經常花掉過多的時間在處理一些例行的雜事上。每個禮拜，我會不假思索地開著車，跑遍全鎮的大小街道，到一些我常去的小店鋪，爲的只是扮演一個忠實顧客的角色，而非爲了便利。我會開車走七英里的路到城鎮的另一頭去買一些日用雜貨，開五英里的車走回頭路，到鎮上的銀行去辦事，然後再到兩條街以外的郵局去，再開六英里的車到城鎮的對面送衣服給乾洗店，然後再驅車到幾英里以外的購物中心去買東西，除此之外，我還要花心思去一些地方張羅其他的東西，像：錄影帶出租店、五金行、書店和寵物店。當然了，我還不能忘記開一小段路的車，去逛一下魚市場、麵包店和賣花的小攤子。

現在，我們很幸運地，在住家附近的一條街上，就可以買到所有的東西。而且，附近還有獸醫院和寵物訓練師、照相館、藥局和至少六家餐廳，走路就可以到達。這樣一來，至少省掉我們一個小時的時間，在處理每個禮拜的雜事上，也

省掉一半的時間。如果你住的附近沒有購物中心，不能提供你一個禮拜的生活必需品，那麼建議你，去找一個最靠近你住家的商場，然後開車過去，即使你要走一大段路，甚至穿過半個城鎮，你也要去，最主要的是，你要採取定點式的採購法，一次就把該買的東西、該辦的事一次全部處理完。

汽車和洗衣機、烘乾機一樣（第8法），是另一種我們經常誤用的便利。因爲我們跳入車內，然後驅車離去是一件非常容易的事。但是我們都沒有考慮到：花掉許多額外時間，去做一些我們不想做的事，甚至是我們不需要去做的事，是否值得？我想，即使我們沒有這麼便利的車子，我們也不會去反省的。

8 將洗衣等雜事削減一半

羅夫．凱雅斯先生曾在他的佳作《時間之鎖》中指出，有許多假設性的簡省時間方法，因爲我們照著做，反而無法節省我們所想要的時間。洗衣和烘衣二機一體的設計，就是一個最好的例子。

有一些調查報告曾研究過，將五十年前的婦女花在一般性家庭雜務的時間，和現今婦女花在家庭雜務的時間來作個比較。結果發現了一個很有趣的現象：即使現在生活中有了全自動的洗衣機和烘乾機，來減少人們花在洗衣和烘衣的時間，但是，我們竟然和我們祖母花一樣多的時間，在洗衣之類的雜務上，甚至有些人還花更多的時間。爲什麼?因爲我們的工作量增加了。

在過去的時代，打個比方，祖父在禮拜一穿了一件乾淨的襯衫之後，必然會很小心地穿到這個禮拜結束，然後等到祖母要洗衣服時，才把這件襯衫丟進洗衣籃裡。現在的我們，常常不假思索地一天就穿兩、三件襯衫，一件是運動用的，

一件是工作用的，一件是隨意穿的。然後，只要我們一脫下來，就直接丟到洗衣籃裡。

對於毛巾和棉製品的使用，則是古今皆然。今天，人們都毫不在乎地使用毛巾，每個人每天就用掉了二至三條的毛巾。畢竟，那只是機器多了一些負擔罷了，對我們來講，這是一件很容易的事，不是嗎？

如果你是請人來幫忙洗衣，雖然一樣要用到水、清潔劑、瓦斯、電和一些費用，不包括監督對方的成本，你是不用花太多時間，不過，這是一回事。如果你是自己做這些事，你每個禮拜必然要花掉更多的時間在洗衣房裡，這又是另外一回事。

如果你真是自己洗衣服，那麼你最好坐下來，好好反省一下你使用衣服和其他洗衣時的狀況。有了一個容易達成的目標，就能幫助你削減每個人每週的平均洗衣量。只要你能這樣做一陣子，你將更容易進一步削減你的洗衣量，變成兩個禮拜洗一次衣服。特別是當你清理完衣櫥（第22法）後，更有效果。還有，大部分的深色衣服也不需要經常清洗。儘量讓你的衣服穿久一點，同時也教你的孩子

這麼做。分配給每個人一條毛巾和浴巾，一個禮拜換洗一次。

誰說我們必須每個禮拜換一次床單？我們的媽媽如此做，是因爲她們一直被灌輸這樣的觀念。但是，隨著許多家庭主婦必須出外工作，除了少數在家工作外，現在的情形和以前是大不相同了。在這裡，我要告訴你的是：兩個禮拜或是更久的時間，才換一次床單，是有可能的。你可以試著做看看，然後自己去判定可不可行。不過，就是不能告訴我媽媽。

9 不要購買需要乾洗的衣服

很顯然的，有很多需要「行頭」的職業，必須要常常乾洗衣服。如果你是個出資金的銀行家，你必須有三套正式的服裝，而這些衣服是不能放進洗衣機和烘乾機的。很幸運的，生活在九〇年代的我們，都不需要再成爲八〇年代中的成功穿著典範的奴隸。從現在開始，除非有什麼大革命，現代的穿著指標是舒服和便利，也就是說，大部分的衣服，都是由可以水洗後就直接穿的棉織品和天然纖維所製造而成的。

我的一個朋友，他聲稱，把一堆衣服送給乾洗店，要比送等量的衣服到洗衣店來得簡單，對某些人來講，這是事實。這取決於個人生活型態的選擇，還有你到底要簡單到什麼程度的生活。過去幾年來，我們每個禮拜都要去一趟乾洗店拿回襯衫，而且我們不假思索地，開始減少每個禮拜的乾洗量。現在，我們已經削減了衣櫥的空間，這使得我們更容易去避免乾洗。我喜歡用洗衣和烘乾機來處理

一大堆衣服，然後把這衣服掛起來，隨時可以穿上。而且，當我們得知這樣做，可以減少使用有害環境的乾洗溶劑時，雖然只是少量，我們心中也得到很大的滿足感。

10 把鞋子留在門外

養成一個好習慣：在你進門前脫下你的鞋子。這是一個很簡單的動作，但是卻能帶來很大的好處。藉著這個動作，你可以減少從門外帶進來的塵沙和其他不受歡迎的微粒子，留在門內的地板和地毯上。你的房子勢必看起來乾淨多了，因爲附著在地毯上的塵沙，已經被減到最低的程度，地毯也必然比以前容易清洗，最主要的，整個房子的塵埃係數，也一定大大地降低了。

或許，簡化生活所要獲得最大的好處，就是在門口脫下你的外出鞋，好讓你的家裡有一種乾淨、衛生的感覺。這幾乎是一種魔力：當你把鞋子留在門口時，你會開始感覺到，似乎你的煩惱也都留在門口了。

這些多樣性的想法，是來自一位熟識的朋友身上，他擁有一個製造電腦軟體的公司。因爲他的工作場所需要一個無塵的環境，從幾年前他就開始要求他的員工，把鞋子留在外面。他甚至花錢爲員工買一些室內穿的鞋子或拖鞋，而且也爲

他的員工保留了一筆買鞋子的預算。他的員工和訪客都被要求在門口檢查他們的鞋子。

提示：製作（或是不得已之下，購買）一個小箱子或架子放在門口，當你進門時，可以用來放你的鞋子。準備一些備用的襪子或拖鞋放在裡面，如果你是那種腳上沒有東西，就覺得不對勁的人。另外，也要多準備一些襪子和拖鞋給客人用，而且要鼓勵他們也把鞋子留在門外。

11 購買有圖案的地毯

當我回想起決定要買一個淡灰色的地毯，放在重新裝修過的新房時，我真懷疑爲什麼我不檢查自己的腦袋？那個地毯是八〇年代中期的產品，帶有暗灰和一點白色的色調，是一種反叛七〇年代暗棕色和橘色長毛，甚至，也可能是反叛六〇年代雕飾綠色的一種流行品。

是的，輕淡、低調的長毛地毯，是很流行的。如果好好的保養，看起來是很漂亮，但是，這不容易做到。這種地毯很容易顯現出每一個污點、每個斑塵、每一根貓的毛髮、每一塊土司麵包的碎屑，而且，每一次濺出的咖啡污點，也都留在它們被宣稱有效的防污纖維上。

當我們從大房子搬進小公寓時，我換掉了那塊沾滿了五顏六色斑點，看起來像沾了一層沙的淡色地毯。這是我有史以來，在裝飾房子方面，作出的最好決定。今天，各式各樣有圖案、花式的地毯到處都是，如果你要自己換地毯，我衷

心地建議你，考慮採用有圖案的地毯，或者，考慮買一塊波斯或是東方的毛毯，它們都有同樣的功用。它們不需要花太多功夫去清理，它們也不容易顯現斑點、污點、水滴和塵沙，而且也不像淡色系的地毯，甚至是單一顏色的深色系地毯，那麼容易就弄髒了。如果你不希望浪費太多時間在地毯上，那麼，一個花斑式、圖樣式或多彩式的地毯，比較能隱藏多層的污垢，而且，它也會讓你的生活輕鬆許多。

12 使用食物托盤

當我開始實行生活簡化計劃時，我曾有個私人渡假。我在一個小山丘上的美麗老式石屋中，擁有了一個非常寧靜及舒暢的週末。這間屋子一次只留宿八到十個從各地來的客人，通常住客都要在一個月前就預訂好房間。來這裡的客人可以在公共晚餐大廳中用餐，或是在自己的房間中用餐。咖啡、茶、水果、飲料和各式各樣的非正餐、流質的、鬆脆的、黏的點心，則是二十四小時全天供應。客人們可以拿著會撒出來的食物，優雅地徘徊在大廳走道的地毯上，也可以在被擦得晶亮的石頭階梯走上走下，經過被絢爛華麗的波斯和東方地毯覆蓋的房間，然後越過被保養得美麗無瑕的硬木地板。然而，這些地板、地毯和毛毯都是沒有污垢斑點的。

爲什麼？對這間房子來講，答案只有一個，那就是：任何食物和飲料只要一離開廚房，就必須放一個托盤在下面。當我想起過去我一直花很多時間，在清理

淡色地毯上的髒點，以及在硬木地板上刷一些碎屑時，我真搞不懂，爲什麼我沒想到這件事？現在，我們在家裡拿食物時，都有一個規定：任何食物或飲料一旦離開廚房，必須放在托盤上。解決的方法就是如此簡單、優雅。

13 把盆栽放在室外

你是否曾有把家裡的盆栽移到比較亮的地方後，而發現在全新整修過的硬木地板上留下一個直徑十吋圓形水漬的經驗？

你的茶几是否也在你不注意的時候，被心愛蘭花盆栽底盤中溢出來的水，留下一個圓形水印？

當你注意到掛在廚房水糟上方的小盆栽時，你會不會懷疑是否哪一天會不小心把樹打下來，或是把樹葉弄髒？

你是否對於刷洗長沙發旁地毯上的一層枯葉，感到非常厭煩呢？

你是否經常回到家，才發現你的貓因爲吃了有毒的植物，而吐了一沙發呢？

或許室內設計師和植物愛好者不會同意我的看法，但是，身爲普通百姓的你，應該瞭解我的用意：如果把家裡的植物掛在脖子上，那真是一件折磨人的事。現在，是我們看清事實的時候了，我們沒有必要把一些「家庭與園藝」之類雜誌中

的美麗照片，帶到我們的現實生活中來。這些雜誌讓我們覺得在家裡種植花草是一件很容易的事，但事實不然。在幾年前，我就一直號稱自己是一個植物的愛好者，但是，我被這些圍繞在身邊的室內植物，佔掉了太多的時間。一下子，我在櫻木書架上發現個水環；一下子，我又在旺盛的芙蓉花中，發現第三次的蟑螂蔓延期。這些現象讓我開始思考：要接觸大自然，應該有一個更好的方法才對。如果你沒有庭院或是涼台讓你享受綠地的自然風味，你可以考慮放置窗邊的長形盆栽。如果這也做不到，當你需要植物療法時，你只好到附近的植物園或是鄰近的公園了。最低限度的作法是：當你家的爬藤植物枯死時，你千萬不要再換新的。當你把大自然放到門外還給造物者時，這時，你必然會驚訝地發現：原來你的生活也可以這麼單純、簡樸。

14　丟掉你的草皮

如果你不是屬於那種週末在割草機後面氣喘吁吁的人，或是比這更糟，必須在一台吵雜、惡臭、破壞環境、排出廢氣的割草機後面工作的人，你絕不會去反省：為什麼你的院子要有這塊草皮呢？是整個社區的風氣呢？社交需要？還是嗜好？你真的需要有這麼一塊草皮嗎？它值得你去修剪、割草、施肥、充氣、耙平和灌水嗎？

即使你有別人幫忙，例如雇一個園丁來照顧你的草皮，你仍然要付出一些精力，至少你要付出一些費用。總之，把你的草皮丟掉，不是簡單得多嗎？

使用其他的地面覆蓋植物，來取代你的草皮，你就可以節省很多時間、金錢、體力、精神、水和其他自然的資源（割草機所需的汽油或電力），也可以節省許多非自然的資源（化學肥料和除草劑）。

許多美觀、抗乾旱、成長快速、低養護成本的地面覆蓋植物，像是富貴草、

熱帶藤、長春藤和各式各様慢速成長的長青植物等，都可以成爲草皮的替代品。請教你的園丁，並根據自己的需求來規劃吧！

想像一下，你可以永遠不再爲草皮煩惱的情形。你可以做到的，只要你丟掉它！

15 簡化維護草皮的工作

如果你覺得真的有必要擁有一塊草皮，你可以考慮一下，改變一些作法：

⑴縮小面積：只保留足夠孩子和小狗玩耍的空間就可以了。

⑵大部分的人在澆水時，都多澆了四十%的水。切記，澆水時要慢慢地深澆。這樣的澆法要比快速、經常性的灑水來得有效。最好的澆水時間是清晨。

⑶割草的次數不要太頻繁。這樣做不僅省時間和精力，而且大部分種類的草，都要長到二、三吋時，根部的生長才會健康。草愈長，地上就有愈多的草影，這可以讓土壤保留水份的時間長一點，也就是說，你可以少澆一點水。

⑷不要耙掉剪落的碎草。它們不僅可以節省你的時間和力氣，還可以幫助草皮保持水份，而且，這些碎草也是天然肥料。此外，把它們留在草皮上，也可以減少垃圾量。

⑸如果必須使用殺蟲劑，儘量使用有機化合物製品。

16 寵物問題單純化

在我們實行簡化生活的第二年，我先生帶了一隻小狗回家。雖然我們有了兩隻不需太費心去照顧的貓，但是，我們兩個人從來沒有飼養過小狗的機會，我們一點準備也沒有。

在第一個週末的晚上，我們很驚訝地看著小狗到處跑，看到什麼就咬什麼，弄髒了地毯，也嚇壞了貓，漸漸地，也破壞了一個家庭的寧靜。吉伯斯看著我說：「或許我們太過簡樸了。」難道是我們的生活太簡單，所以要讓這隻小毛球來翻天覆地？

噢！或許吧！我們盡力讓生活簡單下來，所以才能享受生活的樂趣，而且爲了養一隻小狗，可以忍受這種騷亂，有些事是我們從來沒有時間去做的，經歷一下也是應該的。

寵物不會讓你生活單純化，但是，你可以做一些事，讓寵物的主人輕鬆一

點：

⑴除非你很喜歡替寵物梳洗，否則你就選擇短毛的寵物吧！即使你飼養了短毛的寵物，你每天也要花幾分鐘的時間，來幫你的狗或貓刷毛。不過，至少短毛的寵物，可以減少牠掉到地毯上的毛髮量，或者是減少掉到硬木地板上的毛球。

⑵如果可以的話，讓你的寵物留在室內。很顯然的，這種做法對養小型寵物的人來說，是比較容易的，相對的，對於那些大型寵物來說，可就麻煩了。留在室內的寵物，通常比較不會有和其他動物打架的機會（如果有，就要到獸醫那邊去花費一筆金錢和時間了），而且，被車子撞的機會也少多了（這不只是費用的問題，而是攸關性命的事）。再者，室內的寵物也比較沒有跳蚤的麻煩。

⑶如果你的寵物真的有跳蚤，把跳蚤弄走（寵物和牠的籠子、籃子上的跳蚤）的最好辦法是使用「跳蚤剋星」。它可以確保你的環境安全，而且簡單、保證無蠟的好東西，更可以讓你的房子、寵物免於被跳蚤騷擾達一年之久。大部分的寵物店，都有「跳蚤剋星」或類似的產品，你可以自己考量一下。

⑷花時間訓練你的狗。不管你是養一隻小狗還是老狗，所有的狗都可以被訓

練得聽口令行事，像是「來、坐、站住、跟隨、安靜」等口令，和「停止咬桌上的火腿！」之類的命令，還有許多口令，獸醫將會告訴你。小狗在三個月大的時候，就可以開始一些基本的訓練了（家庭訓練則是在小狗進門的幾分鐘後就開始的）。你可以向附近的慈善機構，諮詢一些社區裡的訓練課程。

一隻訓練有素的狗，必然會帶給你很大的樂趣。當然，這不是簡單的事。不過，自從家裡來了一隻小狗，我們每天一定要出外，來一個輕快自在的散步。在晨光初現的時候，我們會帶小狗出外走走；晚上的最後一件事，也是到外面接觸大自然。現在，我們經常可以看到月亮和星星的許多景象，這是我們以前不曾看過的，而且，黎明和夜晚的寧靜景色、聲音和氣味，也可以說是我們那一年來，享受每一天的特別禮物。

17 簡化搬家

我們在十五年內，已經搬了八次家。在這些過程中，我們有些心得：

(1)在搬家前，執行第1法中的清理工作。

(2)大部分的人在搬家前，浪費太多時間在打包的工作上。結果，在實際搬家前的一個禮拜，整個家裡看起來就像是災區一樣地混亂。一般的家務來說，打包時間是不需要超過一個禮拜的。如果你雇了搬運工來打包，通常他們在一天之內就可以打包完成。在打包時，要把打包好的箱子，放在房間的牆邊，好留出一條通道。

(3)當我們在打包時，要特別注意那些珍貴的東西，像是花瓶和藝術品（當然，這些東西最好放到堅固的箱子裡，第35法）；然後才處理書籍、棉織品、衣服和個人物品。廚房用品要最後打包，寧可在搬家當天早上，等搬運工把其他的東西都搬上貨車了，你才開始打包廚房用品。

(4)確定你要搬進去的地方，是乾淨的，而且可以隨時住進去。

(5)建立一套彩色貼紙的識別系統，讓搬運工人來使用。例如：所有要搬到廚房的箱子，上面都貼紅色的貼紙。所有要搬到起居室的箱子，都用藍色貼紙貼上，依此類推。

(6)如果你要搬到另外一個城市，屬於長程搬家，你就必須把一些你需要應付後面兩餐的廚具（當晚的晚餐和隔天的早餐），還有你需要的衣服、過夜用的行裝，都搬到你自己的車上。

(7)使用大型的衣櫥來裝你的衣服，而且，直接從舊房子搬到新房子的位置。如果你已經簡化了你的衣櫥（第22法），那麼你就會減輕一些負擔了。

(8)當你在打包書籍時，要從書架的上面開始撤書，從左到右，一直撤到下面的書。如果你要把書架上的書，放到箱子裡，也要採取同樣的順序。在裝書的箱子外面，貼上標籤紙，寫上書櫃位置和編號。儘量把箱子中的每一吋空間，都用書填滿。你可以用這種方法，少用一些箱子，這樣一來，你會覺得打包起來比較輕鬆。

請搬運工先把書櫃搬進新房子裡，然後再根據標籤上的位置和編號，按次序地堆在書櫃旁邊。然後，從第一個箱子開始搬出書籍，照順序放在當初你從書架上拿下來的位置。

⑼如果有可能，請搬家公司賣給你一些搬運用的箱子，然後，在搬完家後再以半價賣回給他們。許多搬家公司也賣二手的箱子以節省可觀的成本。

⑽讓你的寵物和小孩，在同一天搬到新家。稍微大一點的孩子，可以讓他幫忙整理他自己的東西。

⑾畫出一張簡略的新房子的房間配置圖，裡面最好也標示出來，你希望家具放在什麼位置。然後，多影印幾份，這麼一來，你可以在每個房間的門前貼一張。這樣可以節省你的時間，不用每次搬運工人搬一些東西或一堆箱子進屋子時，你都要站在一個定點上指揮。這也表示說，你將有時間去廚房整理各種物品，而且可以開始準備當天的晚餐，至少也可以準備明天早上的早餐。

18 良性循環

簡化生活的另外一個驚人的好處，是促使良性循環的過程變得更容易。藉著簡化你的飲食習慣（第57法），你將可以大大地減少來自於處理食物的負擔。藉著選擇你的飲品（第60法），你將可以大量地減少一些你過去必須處理、丟棄的罐子、瓶子、塑膠容器。藉著削減每天的報紙（第28法），削減雜誌的訂閱（第27法），和減少你的垃圾信件（第26法），你將大量地減少那些必須回收處理的紙張。

除了阿司匹靈以外，你也可以藉著丟掉一些東西，來減少瓶子和包裝紙的存在。而且，你也可以減少使用藥物和一些沒有效用的過期藥品（第66法）。檢討你的購物習慣（第40法），和從假日的束縛中跳脫出來（第33法），不僅可以減少你的負擔，也可以不讓你的生活變得一團亂。當然，清理工作（第1法）、保持整潔（第89法），和送禮簡樸化（第35法）也是促進良性循環的動力。

資源回收只能解決一部分世界上的髒亂問題，這是專家們一致認同的意見。在每個地方實行簡化運動，減少廢棄物，才是解決問題的重點。

第二篇　你的生活型態

19 搬到一個較小的房子

美國人的平均住宅面積，從一九五〇年代的大約二十五坪、兩房、一衛的房子，到現在擴展成大約五十六坪、三房、三套半的衛浴房間、一間廚房、一間餐廳、一間書房和健身房、一間大房間、一間視聽室，至少有兩個、通常有三個車位的車庫，還有一個可以和梵諦岡教堂媲美的入口大廳。到底這種現象是怎麼形成的?可以確定的是，這不是因爲家庭人口增多而形成的。美國的平均家庭成員，從一九五〇年代的四個人，到了一九九〇年代時，降到了二・五人。

從五〇年代開始，人們就要爲了維護這個巨獸，每個月的財務負擔增加了兩倍以上，有些房子還需要三倍以上的負擔。今天，許多屋主必須把每個月收入一半以上的錢，用在房子上。爲了要擁有大房子，我們就必須愈搬愈遠，遠離我們的工作地點和行政中心。這種轉變，意味著我們必須花費更多的時間去通勤上班，而且也必須付出更多的錢在汽油和車子上面。

許多人也漸漸地察覺到，他們浪費了這麼多的時間、精力和金錢，就只是爲了擁有一個大房子，實在是划不來。

當我們從煙霧瀰漫和擁擠而且必須花四個小時上下班的大城市或市中心搬出來，搬到市郊比較有田野風味的地方時，我們的工作地點就和生活分開了（第51法）。我們的第一次搬家，是搬進一個八十三坪的大房子。我們不經意地掉入八〇年代「大就是好」的觀念陷阱裡。除此之外，我們也必須有個大空間，可以安置我們所有的家當。

一旦我們清掉了許多雜物（第1法），我們才發覺：根本不再需要這麼大的空間了。當我們搬到一間小公寓，我們的目標就是削減雜物，直到我們可以輕鬆自在地整理這間小公寓爲止，但是也不能犧牲我們的舒適和便利性。啊！不用再爲大房子煩惱了！這真是一種情緒和心理上的極大解脫，也不用去煩惱大院子，更不用爲了擁有那間過大，而且不適合我們生活型態的房子，所帶來的繁雜和麻煩而憂心忡忡了。

20 開簡單的車

當我和吉伯斯在汽車百貨裡想到要實行簡化生活時，我才發覺自己是個只說不做的半調子。

就在幾年前，爲了順應汽車蓬勃發展的流行風潮，我買了一輛高馬力的轎車。大體來講，這輛車真可以說是一輛可靠的車，對我來說，它也是一輛提供我駕駛樂趣的車。不過，如果要說它是一輛不找麻煩的車，那就太誇張了。在車輛的維修保養上，我就要花掉大量的精力和費用。當我停車時，還要特別小心四周；而且，在油料的消耗上，這輛車在市區裡，一公升只能跑十公里，這實在無法和現今那些一公升跑二十公里的車子相比。

然而，吉伯斯卻有一輛已經出廠十年的車子。他是在紐約長大的，在搬到市郊之前，他不曾有過車子，他一直是坐地下鐵和巴士的。然後，他買了一輛老型的車子，也僅是來回到車站而已。不像我，他完全不會被車子綁死，對他來講，

車子有時候只是一個便利的工具，讓他從一個地方到另一個地方罷了。

再者，吉伯斯的車子花在保險、稅金和登記上的費用，是我的車子的一半。他可以把車停在任何地方，不需要擔心車子被碰撞或是被偷。（他是第一個承認的，沒有人願意這樣做的。）

我的車進維修廠的次數，幾乎是他的車子的兩倍。即使是最小部分的花費，也是他的車做同樣處理的三倍，而且維修時間還要多出兩倍。

最近，在經過搭乘社區巴士的實驗之後，吉伯斯發現這種交通方式，可以滿足他的需求，而且，像我們的一個住在舊金山的朋友（第96法），他就堅持要完全捨棄車子。這麼做，除了可以減少他三分之二的交通成本外，也可以讓他免於開車的勞累，他是不喜歡開車的。

無疑的，目前最簡單的事，是用吉伯斯的車來代替我的車子，但是，我不想承認這個事實，而我也還沒作好心理準備。不過，我真的期望有一天，科技可以發達到製造出可靠的電動車，到那時候，我就會換車了。

21 賣掉那該死的遊艇

這個建議主要是針對男人，女人通常是不會擁有這些玩具的。

在美國，擁有遊艇的人數是一千五百萬人。每一位參加過週末遊艇俱樂部的人都知道，那些遊艇實際上被使用的百分比，是非常小的。許多的遊艇也只是在水面上消耗一些費用，或是把錢浪費在全國各地的碼頭保管區中。其他的遊艇也頂多是佔著水道的空間，或是被放在車庫中，或是在後院裡罷了。

其他的許多休閒運動設備，也可以被用來作同樣的比較。全美國花在這些設備上的金額有十億美元之多。像是下坡道和越野用的滑雪用品、水肺裝備、背包、釣魚用品、高爾夫球俱樂部、露營設備，只要你能說出名字的都是。

如果你也已經開始懷疑，像是貼在車後保險桿上的那個貼紙所說的：「他將和大部分的玩具一起死亡，勝利！」或許，這也是你考慮卸下這些玩具的時候了。

22 擁有較小的衣櫥

這個建議，在大部的情況來說，是針對女人的。男人已經有簡單的衣櫥了。在我試著去追趕那難以捉摸的「流行」觀念的幾年後，我得到了一個壓倒性的結論：

當一個男人和一個女人，在一起比較穿著的時候，不管是時髦的，還是隨意的穿著，甚至是不可思議的胡亂穿著，幾乎沒有例外的，男人看起來總是比女人好看得多。這有兩個原因：

(1)當一個流行來臨，男人總是比較容易搭上，也因如此，男人幾乎永遠是怎麼穿怎麼好看。

(2)女人要搭上流行，就比較難了。而且，女人幾乎永遠是錯的。有些人還會錯得更離譜。

讓我們面對這個事實，男人基本上只有四種穿著型式：西裝（配襯衫和領

帶）；休閒裝（穿襯衫，有時候加一件夾克）；非正式的褲子，牛仔褲（搭配POLO襯衫），或是運動裝；禮服。

女人則可以有無限制的選擇：

套裝，上裝可以有短、中、長或是超長的搭配。也可以有合身的、寬鬆的、荷葉邊裝飾的搭配。也可以有寬肩、窄肩、垂肩或蓬肩的搭配。還有單胸、雙胸、皮帶或是開放式的搭配。在領子方面，也有非常多的花樣，或是沒有領子的；像是圓領、方領、開口較低的圓領或是V字領。而且，還有各種纖維或是合成纖維的選擇，還有各種顏色的搭配或是想像得到的各種混合色。

同樣地，在其他型式上，女人也可以有等量的選擇，像是休閒裝或隨意穿著及正式禮服，也可以由無限量的風格及纖維和顏色來組合。這就是女人的衣服要比男人多出三倍的原因。因此，女人都擁有一打以上的不同流行表現方式，只是很少同時表現出來罷了。

我建議你擁有一個較小的衣櫥的方法，是向男人學習他們的穿著：

第一，挑一件簡單、傳統型態而且看起來很適合你的衣服，然後讓它一輩子

跟隨著你。

第二，搭配出幾組全套組合，就像是制服一樣：兩或三件型態相同或類似，但樣子不同的上裝，暗色調的，和兩或三件相同或類似風格的裙子搭配。或是幾種不同色調的休閒裝，配上一些普通的襯衫、短衫、帽子。每一件衣物，都可以搭配其他的衣物。

第三，切記，大部分的男人，都不配戴珠寶（第94法），也不要帶皮包（第93法），而且不要穿太高的高跟鞋（第91法）。

在這裡我不是叫女人穿得像男人一樣，只是藉著這樣穿，才有可能去創造出一個簡單、有功能性的女性衣櫥。只要遵循這些同樣的原則，陷入流行風潮中的男人，也可以有相同作用。

23 減少娛樂上的開銷

如果你開始要從生活需求去削減開銷，那麼，娛樂費用應該是第一個被削減的。如果你正尋求脫離繁忙步調的簡樸生活，減少你對外的娛樂需求，無疑的應該是首要之務。這個時候，取消你的夜生活娛樂，回歸自己的內心，和家人一起共度休閒時光，對尋求簡樸生活的人來說，是一件很有正面意義的事。

避免一些娛樂活動，可以對你的財務有幫助。像是看電影、遊樂場、戲劇、歌劇、音樂會、歌舞廳和夜總會等都是要花錢的活動。或許這樣做對於個人來講，剛開始看不出有什麼好處。畢竟我們一直被驅使著去做這些娛樂，去經驗所有可以用錢買到的事物，而那些我們真正想去做的事，反而經常被我們忽略掉。

最近，我和一羣擁有「實權」的專業人士聚會。我們談論到我們休閒時的目標，以及我們是否很少真正地去享受，那種屬於自己的寧靜時刻。我們每一個人都在紙上，列出我們真正想做的事。這些紙條上的內容大概是：

看夕陽。看日出。獨自一人在海灘散步或是穿過公園或是到山上旅行。和朋友閒聊。在書店中留連。讀一本好書。在花園裡閒逛。打個小盹。和另一半度過寧靜時光。和孩子度過寧靜時光。聆聽一曲心愛的音樂。看一場自己喜愛的電影。和寵物一起打發時間。靜靜地坐在自己喜愛的椅子上，什麼也不做。

我們都很驚訝，也都很高興，我們所列的事項，只需要一點小錢或是根本不需要錢的，不需要昂貴的設備，對任何人來講，都可以從這些事項中得到相當大的好處。大致來說，我們的喜悅，通常都是很單純的喜悅。

我不否認，我們這個小團體所描繪出的，是一個典型的例子。但是，當我到世界各地旅遊，有機會和那些維持簡樸生活的人們談話時，我一而再、再而三地聽到同樣的故事。人們已經厭倦被強勢的娛樂市場操縱的生活。他們漸漸瞭解生活中最珍貴的東西是：自由，而且少做一點，也意味著擁有更多，更多的安詳、更多的幸福感，和更多的心靈寧靜。

建議你，把你和你的家人真正喜歡做的事列在紙上，然後，好好安排你的生活，好讓你在日後的每一天，都盡可能有時間去做那些你喜歡做的事。

24 檢討你和朋友的聚餐

當我們開始過簡樸的生活時，有一件事情是吉伯斯和我都不願意去面對的，那就是有朋友留下來吃晚飯這件事。我們很珍惜和一些好朋友共度晚上的時光，但是，自從我和吉伯斯都沒有義務去準備晚餐時，我發現我們都不願去花那個時間和精力去準備晚餐。很幸運的，在忍耐過我們家的烹飪技術後，我們大部分的朋友，也都同意我們不做晚餐的看法。

現在，晚餐的時候，我們經常和朋友在一家各自付帳的餐廳裡聚會。我們可以不用去買菜、洗菜、切菜、烹調和清洗餐具，而且我們的時間和精力也得到釋放，所以我們可以分享彼此的朋友。這樣一來，你不需要付出昂貴的花費，即使你分擔餐點的費用（第58法），而且也不會有營養過盛的情況。再者，也不一定要選一個晚上，禮拜六和禮拜天早上，也是一個和朋友來場輕鬆聚餐的美好時刻。

另一方面，我們也認識一些人士，他們則是完全戒除上餐廳用餐的行爲。他們已經厭倦了花錢，厭倦了餐廳裡的噪音和二手菸，和大部分餐廳都缺乏個人隱私的現象。像我們一樣，他們也都不喜歡作菜。所以，當他們和朋友聚在一起時，他們寧可回家去享受一頓便餐，讓大家來平均分擔費用。他們也爲這種社交場合研究出一些新的規則，然而，人們也可以帶一些他們想帶去的東西，只要是低卡路里的食物、適當的量和不能有競爭性的精神就行了。

25 關掉電視機

根據研究顯示，美國人平均每天花在家裡看電視的時間將近七小時。如果你在過去幾年中，已經習慣過這種被電視綁住的生活，那麼，這是一個你脫離電視掌控的好機會。不過，或許你不能立刻想通其中的道理所在，反而花更多的時間去看電視。其實，你該好好想一想，電視對你和家人的影響，而且，電視是如何操控你的購物和生活習慣。我建議你最好仔細想一下這些問題。

想想看，那些你喜歡的喜劇所呈現出來的生活，是否對你的生活真的有正面的幫助？或者，電視上不斷出現的犯罪和暴力畫面，真的對你的心靈有益嗎？再想想看，大部分的電視新聞中的「新聞快速掃瞄」，可以給你真實的資訊嗎？想想看，沉溺於電視的習慣，是否會影響你的生活、自主意識和自由呢？

如果你已經下定決心，要減少生活上有形和無形的享受（第42法），想想看電視上那些有強勢影響力的廣告影片：

美國一年的電視廣告費用高達一兆二千五百億美元。一位暢銷書作家在他的著作《自戀文化》中指出：「現代的廣告，事實上是想塑造出一種永不滿足、慌張的、焦慮的和煩躁的消費者。」光從廣告主每年投入這麼多錢在電視廣告這件事來看，我們就可以判斷出，電視廣告必須從消費者身上，回收這些投資，而且要不斷刺激消費，消費金額也需遠超過八〇年代才可以。電視的目的，在於創造一種獨特的「無限欲求」的新世紀，這是其他媒體所做不到的。

如果你認爲看電視並不是構成生活複雜的主因，那麼，有一本《拔掉插頭》的書指出：對那些沉溺於電視的人，在這裡有一個簡單、有步驟的方法，適合你和孩子一起來試試，可以幫助你減少或是完全削減看電視的時間。

首先，你可以和你的家人，在紙上列出可以取代看電視的事或遊戲。像是讀小說或是說出你最喜歡的故事給大家聽。最好是找一些，可以讓全家人一起玩的遊戲，像是大富翁、益智遊戲、猜謎。如果你現在正耽溺於電視之中，把看電視這個習慣丟開，對你的簡樸生活將會有很大的幫助。就我所知，照這個方法做的人，都說這是最佳的方法。你也可以試試看，關掉電視機吧！

26 遠離垃圾信件

全美國的人，每年都要收到將近兩百萬噸的垃圾信件，而有一半以上的垃圾信件，根本沒有只是拆封或閱讀，剩下的一半垃圾信件，就算被拆封，每個人每年平均也要花三到四天的時間，來拆開信件。接下來，你應該可以知道，我們每年要花多少時間，來看這些不請自來的型錄了。多麼浪費啊！而且，多麼煩人啊！特別糟糕是，我的一位朋友，每次她接到那些慈善機關要求捐款的信函，她沒有回函的話，心裡就會感到愧疚。如果你也是這樣的話，那就真的麻煩了。

這些垃圾信件除了爲我們個人帶來困擾外，也對環境造成很大的傷害。如果我們可以不要收這些垃圾信件，相信我們每年可以拯救將近幾百萬棵的樹木。

很幸運的，我們還是可以做一些事，來減少這些垃圾信件對我們造成的困擾。首先，當你需要一些型錄時，寧可去商店或是向業務人員要，不要隨便留姓名和地址給別人。如果你們家的信箱已經塞滿垃圾信件時，不要留情，把它們全

部都丟掉，免得佔用信箱的空間，使得重要信件放不進來。只要你一直沒有對這些郵購或是廣告信函作出回應，相信對方是不會再繼續寄垃圾信件給你的。如此，你也就可以達到簡化生活的目的了。

27 取消訂閱雜誌

我有一個朋友，她每個月要看十幾種的雜誌。她有個多彩和滿意的人生，住在一間漂亮的大房子裡，有兩個可愛又聰明的女兒，而且，她們都很健康。她擁有這麼多足以讓她心滿意足的樂趣，可是她最近有一段很長的時間，沉浸在一種不快樂的氣氛中，她一直覺得這樣的生活，不是她所想要的。

有一天我去她家，不經意看到她桌上的一疊雜誌。忽然間我的腦子閃過一個念頭：她評估自己生活不快樂的標準，是不是受到雜誌裡，那些不真實的生活型態所影響。

大部分的消費性雜誌，多多少少都有一些廣告的手段在裡面。其中最主要的目的，就是要我們去買廣告上的產品。日積月累下來，我們不知不覺地就被灌輸了這種想法。

說實在的，除了電視以外，很少有媒體可以像雜誌那樣，把一些強勢的消費

意識，訴諸於消費者的潛在意識，而且對消費者造成非常大的誘惑力。廣告主每年正投入一千億美元來製作平面廣告，這沒有什麼好驚訝的，透過一頁又一頁精美誘人的四色印刷廣告，廣告主正掌控著我們服飾、烹飪和飲食的流行潮流，而且還定期地主導我們的社交生活。他們鼓勵我們抽菸、飲酒和開快車，而且還要買昂貴的服飾、珠寶、家具和數以百計的其他產品，再者，這些東西都不是我們真正需要的，通常也都買不起。更嚴重的，這些廣告對人們也有遙控洗腦的作用，打個比方，廣告說：喝某個品牌洋酒的女人，對男人會比較有魅力。你相信嗎？

你可能沒有仔細想過，這些雜誌是如何吸引你來花時間和金錢閱讀它的。如果你想通了，或許，這就是你取消訂閱雜誌的時候了。這是最簡單的方法，也是最有效的方法，可以減少你的生活雜訊，而且讓你從消費的陷阱跳脫出來。

如果你是一個雜誌迷，那麼就斷然地戒掉這個嗜好吧！把花在看雜誌的時間，用來培養一些新的興趣或嗜好吧！或許，這時候你才會驚喜地發覺：你竟然有那麼多的時間，來做你真正想做的事。這就是不看雜誌的好處。

28 不要每天看報紙

我們有一對好朋友，他們從來沒有每天看報紙的習慣。他們是一對夫妻，他是一位物理學家，她是一位藝術家。直到最近，他們買了一台錄影機，用來看他們喜歡的電影，不然，在這之前，他們家連電視機也沒有。他們也從不看電視新聞。當大部分的人都在看早報時，這對夫妻正在看他們喜歡的小說。

當人們問他們，爲什麼不看報紙呢？他們的回答很簡單：因爲他們發現報紙會帶給人沮喪。他們專注在他們專業上的最新資訊，而且藉著閱讀許多專業雜誌，他們也可以知道世界各地發生了什麼事。他們感覺，透過他們的專業，可以對世界付出一些貢獻，而且，他們也覺得沒有義務去迎合其他人的期望，一定要趕著吸收每天的新聞事件。

他們都是受過高等教育、有學養、興趣和充滿活力的人，他們在很早以前就心裡有數：看報紙並不能對他們帶來精神上和情緒上的幫助，而且，報紙還會干

擾他們的生活。

如果你已經厭倦於看到壞消息，但是你又不能完全不看報紙，你可以考慮一下，暫停看報紙一個月或兩個月試試看。如果你可以做到這一點，我敢保證你漸漸地就能很容易地分辨出，哪些新聞是你想要或是需要的；哪些新聞對你來講，是負面的新聞，對你的簡樸生活沒有幫助，進而不要去接收。

一次又一次地，當我努力地去勸告那些生活步調很快的人，叫他們從每天的行事中，刪除看報紙這一項時，他們都對我有這種奇怪的想法感到震驚。但是，當他們開始去做實驗時，特別是他們另外安排了一項可以取代報紙的活動後，他們也發現，中斷看報紙的習慣，不是像他們想像中的那麼難。每天截斷負面的訊息，對你想要達成簡樸生活的目標來講，就是最好的正面幫助。

如果你正嘗試減少有形和無形的生活享受，切記！廣告主一年花費超過八十億美元在報紙廣告上，他們正在操控你的消費行爲。如果可以的話，這倒是可以成爲你停止看報的充分理由。

29 掛掉線上插播的等待電話

我知道並不是每一個人，都同意我這個說法，但是，我對在這個現代電話世紀中，有這種擾人的「插播」現象，實在是覺得不方便。這種插播系統不僅是一種無禮的干擾，而且人們還要爲這通電話付費。當然了，如果你也申請了「電話插播」，電信局會要你每個月多付一些費用，而你要取消「電話插播」時也是如此。如果你已經申請了「電話插播」，相信你也會要再申請「優先插播」服務系統，當然，你每個月還是要多交一些費用。

我們都喪失了溝通的藝術，事實上，有些時候我們可以直接說：「對不起，我待會兒再打給你？我現在有一通重要的電話要接。」或是更確切地說：「抱歉，我必須先和另一個人談話。」至少可以不用讓人家在線上乾等。難道說，我們今天所接的電話，是攸關生死的，不能一次接一通電話，而必須一次接兩通電話嗎？難道說，我們的行事計劃都已經失去作用，所以才要付錢給電話公司，讓

我們在線上乾等，動彈不得嗎？

對小公司來講，爲了避免多線電話的開銷，而去申請「電話插播」是情有可原的。但是，我不相信在同一個時間、同一條線路上欺瞞兩個通話者的行爲，可以讓一個人的生活更簡單。如果你也同意我這種說法，你可以取消這項「服務」，而且每個月還可以省掉幾百元的電話費。

30 不要因爲電話響，就急著去接

我知道有些人天生就有一種本能，那就是只要一有電話響，就不能不去接。而我就是這種人。我承認幾年來，都一直被電話的鈴聲折磨著，直到我忍受不住了，我的心才像鐵石一般，對電話聲聽而不聞。

其實，這也不是什麼重要的事，但是，因爲電話是個很方便的聯絡工具，當某些人在某些時候要找你時，他不需要知道你有沒有空去接電話。所以，會對我們造成困擾。我們可以想想，當電話鈴聲響時，可能我們正在睡覺、正浸泡在浴盆享受洗澡樂趣、正在廚房煮東西、正聊天聊得起勁、正在做一件重要的工作、正在瘋狂做愛，或是一個人在寧靜的夜晚享受獨處。

我想我唯一要感謝的是答錄機的出現。

現在，至少你可以用答錄機來過濾電話，因此，你可以只和那些你想通話的人說話就可以了。如果你沒有電話答錄機，當你不想被干擾的時候，你可以把電

話的鈴聲關掉。

電話是現今世上最便利的發明之一，這是不可否認的。但是，電話也可能是最麻煩的東西，除非我們懂得如何去使用它，讓它爲我們服務，而不是爲其他人。

31 不要一聽到門鈴響就應門

門鈴響起時，有些事情是非常令人厭煩的。這種厭煩和電話鈴聲不同：不管什麼人按門鈴，那表示門外頭就有個人。我無法告訴你到底有多少次，我的大餐就是被門外的人破壞了。我們都被教導要對客人有禮貌，即使是對那些不請自來的人。通常，我們都沒有爲自己或家人著想，以致於讓晚餐冷掉，例如，我們常常爲了應門，必須和門外的人講半天的話。

現在，我已經把應付電話鈴響的方法用在應付門鈴上。除非我和朋友約好或是期待某些人的來訪或是有郵差，如果我不方便的話，我都不去應門。因此，我的朋友知道我這個做法後，如沒有事先打個電話過來，就不會來找我。

「如果是郵差要送掛號信呢？」

一位朋友問我。

你們曾經收到過帶來好消息的掛號信嗎？只要我想領，掛號信是不會丟掉

的。「但是這樣做不是很不禮貌嗎？」她抗議地說。通常，我們都是這樣想的。但是，我們應該覺察到，事實上，真正沒禮貌的是來訪者，他們忽然出現在門外，然後要我們丟下手邊做一半的事情去應門，爲的只是他們的方便。

我承認這種做法，會令你的社交步伐僵化。但是，如果你經常被這些沒有事先通知的來訪者干擾，那麼，就學著讓門鈴響不要去管它，這樣會讓你的生活輕鬆許多。

或者，考慮一下裝一個防盜眼，至少你在開門時，可以知道來訪者是誰。

32 捨棄你的行動電話

你已經知道我不喜歡電話的鈴聲，所以，請原諒我會在這篇文章裡，發一些牢騷。

我知道有許多人在行動電話大降價時，裝了行動電話。有些人，像是我認識的不動產仲介人員，他們說，如果他們沒有行動電話，根本就無法作生意。或許，他們有合理的需要，必須不斷地使用行動電話。但是，大部分的人，包括一些不動產仲介人員在內，他們都說，行動電話是另一種爲人帶來麻煩比帶來便利多的東西。

首先，有一些安全上的因素，這些因素是行動電話的製造商、經銷商和媒體從來不會提及的。據我所知，至少已經有一個人放棄了行動電話，因爲在車子以時速一百公里的高速下，而又使用高負荷電力在通話時，差一點就發生意外。更壞的情況，是像丑角一樣，一手忙著撥電話號碼，一手又在擁擠的車陣中穿梭

著。

第二，由於科技的不完美，導致我們在使用汽車電話時，一下子聲音大，一下子聲音小，不然，就是當我們離開通話訊號區時，講到一半就忽然斷話。這是便利的東西嗎？

第三，暫且不說安全性，但是，要我們在車上，一再地同時做兩件事，這不是非常瘋狂的事嗎？我們必須搞得這麼忙嗎？

第四，行動電話實在是太貴了。就像我父親常說的，如果你賺的錢比腦袋多，那麼你大方地花這個錢，對你是沒有什麼傷害的。但是，如果你的預算很緊，你最好仔細想一想，擁有一個行動電話是否真的能幫你省錢。

33 如果你不喜歡節日，就擺脫它吧！

一些重要的假日，通常都是在一年中最有壓迫感的時刻。坦白一點，你是否經常偷偷地在心底希望，不要去經歷現今的商業化聖誕節，也不要去購物、拿禮物、吃美食、公司派對、家庭聚餐、暴飲暴食，而且花掉過多的錢。因爲，這些活動只會讓你離簡樸生活愈來愈遠，而且讓你的生活變得複雜混亂。

我知道，有一些人真的是很喜歡慶祝聖誕節和其他節日。如果你是這樣的人，那真是一種很大的享受。但是，如果你不能忍受那種必須享用聖誕晚餐的想法，那麼，你也不孤獨。一些研究報告顯示，聖誕節對大部分的人來講，是一年之中壓力最大的時刻。現在，我們處於民智大開的九〇年代，我們知道我們都是來自於不完美的家庭。但是，這也不能把節日視作一種加諸於人的痛苦。

想像一下，你想在節日時，如何打發你的時間：安逸地坐在沙發上抱著一堆好書；在電視機前看你喜歡的電影，好好地放鬆自己；出外踏青、滑雪或是利用

這個時間，讓全家人有個隱密的對話。然後，按照自己所想的去做。我認識的一對夫婦，他們有三個十幾歲的小孩，他們全家就是完全捨棄節日而去露營。這是一個好機會可以讓彼此更接近，讓自己有機會接觸大自然，遠離那些他們不想再擁有的商業化節日。我認識的另一對夫婦，他們在幾年前就為孩子計劃好了聖誕節怎麼過。他們買或是製作很特別的聖誕節禮物送給小孩，而且每一年，他們都會捐款給他們喜歡的慈善機構。

盡可能輕鬆、無痛苦地作個轉變吧！在節日到來之前，向你的家人和朋友宣佈：你不想再過聖誕節（或是感恩節、復活節、生日或是其他節日），從現在起，你要過個不一樣的節日，並且為他們解釋原因。讓他們知道你在節日時，已經作了另外的安排了。

不過，你必須知道：並不是每個人都瞭解你的立場，而且有時候你會傷了別人。如果你的罪惡感大得難以忍受，你可以妥協一下，像是感恩節時過節，但是聖誕節不過。依此類推。

你也必須知道：有些人會假裝受你傷害，事實上，他們也很高興不用在節日

受苦，只是他們還是被傳統綁住了，不肯承認罷了。

思考一下，如果你現在行動，你就可以從一年之中最有壓迫感的節日中解脫出來。不要浪費任何時間。今年過一個屬於你自己的聖誕節。

34 不要寄聖誕卡片

「不要寄聖誕卡片？你是在開玩笑吧！」

我的一位朋友咆哮著。

「這是我在聖誕節最喜歡做的事。」

如果，像我的朋友一樣，你很喜歡寄聖誕卡片，無論如何都要做這件事，那麼，你可以不要在意這個建議。這個建議是給那些爲了在七月中旬，還沒挑到合適的卡片而苦惱的人，也是給那些在十一月底還在抱怨沒有寄出卡片的人，也是給那些已經到了十二月中旬，自己爲還未寄出卡片而發牢騷的人。他們甚至自己都不知道，是否有可能在聖誕節前寄出這些卡片？

這個建議也是給那些，在卡片上用印刷署名的人。手寫的簽名卡片，對收卡片的人來說，是一大樂趣。想想看，在這樣一個富有感性的節日，竟然還有一些人或是公司行號，寄出一些用印刷字署名或是用橡皮章署名或是由秘書代爲署名

的卡片，這是不是一件令人驚愕的事。我從來不知道，聖誕卡片中所要傳達的訊息是什麼？還有，那些寄出印刷署名的人，既然連寫地址和親手署名的時間都沒有，為什麼還要浪費這些卡片？

對許多人來講，那些印刷署名的賀卡，已經是聖誕節的象徵了。這是沒有個性的，這是純商業的，而且也是昂貴的。它的真正意義是負面的，它弄亂了我們的生活，破壞了環境，也是一種危害環境的資源浪費。

我希望看這本書的人，不要為你們的寄卡片行為感到罪惡感，但是，如果你認識那些大量寄印刷卡片的人，或許，你可以建議他把寄卡片的錢省下來，拿去捐給環境保護之類的機構，否則他的罪惡感可就大了。

35 簡化送禮

我有一個朋友，她的家庭有衆多成員，他們彼此都記得其他人的生日和各種紀念日，這還不包括聖誕節和其他節日，只要有特別的日子，他們都會互相送禮。幾乎每個月，我的這個朋友，就會爲她家裡的某位成員的生日快到了，要選什麼禮物而煩心。就這樣一成不變地，她終究在這些小事上煩惱不已。通常，不僅是收禮者，她家中的任何一個人，都不會承認這個事實。

爲了解決這個長久以來的送禮問題，我想出了一個結論，那就是一個觀念的問題。當我們在做某一件事時，我們是無法發現到自己的行爲是否爲對。

我也曾向我的家人和朋友們指出，送禮的最大目的，是在於一種情感和訊息的傳達，即使我們送了一件對方不喜歡的禮物，至少這也是一件紀念這個心意的東西，或許，送禮的每個人都是這樣想的。

36 簡化旅行

我的丈夫，在某方面來說，也可以稱得上是個旅行作家。在我們結婚的十五年裡，我們已經有了數十次環繞世界的長途旅遊。我們搭乘小遊艇橫越海洋；乘坐火車越過荒蕪的大地；在平靜的水面上搖槳；搭皮筏順流而下；爬過充滿荊棘的山頭；漫遊在世界各大都市的街頭。

如果說，我們可以從這麼多旅遊中學到東西的話，那麼，我們最大的心得就是：如何讓自己輕便地去旅遊，而仍然可以獲得我們所必須的東西。

許多的旅遊者，除了在整裝時會打包旅程所需要的東西外，也把那些可能用得上的東西，也一起打包起來。底下有幾個可以避免這種行爲的方法。

對大部分的旅遊者來說，首先要做的是，列出一張表，上面寫出你所想帶的幾種不同型態的衣服。像是正式服裝、便裝、運動服和休閒服。然後，除了便裝，把表上的所有東西都刪去。這就是你所有旅遊可以穿的衣服。

到你的衣櫥前，把所有你喜歡的便裝都拿出來。（如果你已經簡化了衣櫥，那麼，應該不會有太多的衣服來困擾你了。）把這些衣服折好，放在床上，襯衫放一堆，長褲放一堆。然後，至少每一堆拿走一半的衣服，放進你的衣櫥裡。讓我們面對一個事實：一旦你到了某個地方旅遊，才發現你需要一些東西，在大多數情況下，你會不了了之。**這也是輕便旅遊的訣竅：沒有什麼東西是我們非要不可的，而且，就算沒有，你通常也會不了了之。**（這也是簡化你的生活的訣竅。）

最好只穿和帶深色的衣服。

確定你帶的衣服都可以和其他衣服搭配。

通常，即使在熱帶氣候，也要穿或帶上衣或夾克、背心在方便拿取的旅行袋裡，如果需要的話，也可以拿出來搭配穿著。

最好只帶一個有輪子的旅行箱。我們建議旅行用的七二七，因爲它的重量比一些硬式的旅行箱還輕，而且可以裝得比較多。此外，它也有足夠的外袋來裝車票、讀物手冊和其他東西，所以你不必使用另一個袋子。

使用一個紙巾盒或是化粧袋，可以掛在門後或是毛巾架上，最好是符合你的旅行箱使用的。（如果你是男人，你可能已經有一個簡單紙巾盒；如果你是女人，也必須學習如何在十分鐘內變得亮麗，你將不需要吹風機或是其他東西。）

只帶兩雙鞋子，兩雙鞋子的跟最好是一樣高，寧可是矮跟的鞋子，而且是穿起來最舒服的鞋子才行。

想想看，不管到世界哪一個角落，你都只需要帶一個小袋子，讓你輕鬆自在地穿越街道、上下樓梯、爬過充滿荊棘的山丘、走在石頭路的街上，這是一件多麼令人快意的事啊！

37 在家裡度假

我和我老公曾在家裡度過輕鬆又有趣的假日。如果你也開始想簡化自己的生活，在家裡度假，是一個絕佳的起點。

你可以從整理家裡開始，度過第一個在家裡的假日。試著和全家人討論，定出一個在家度假的計劃，不僅可以爲家裡帶來樂趣，也可以凝聚家人的心。

在家度假，是培養一個新嗜好的時刻（第53法），也可以讓家裡保持整潔的狀態（第3法），或是開闢一個花圃（第6法），或是可以做任何你想做的事。但是，如果你實在太忙或是不常回家，那就另當別論了。

我們花了一個假日的時間去了解我們居住的城市現況，才發現一點，原來我們比那些來我們城市的訪客，還不了解這個城市的特色。因此，我們花了一天去逛市內的美術館和博物館。我們又花了另一天的時間，走遍市中心的每一條街道。我們看見了一些新的店面，還有一些漸漸老舊的店鋪，這些改變，是以前我

們都不知道的。我們又找了一天，到住宅區去散步，我們也看到了新舊並列的房子，而且也第一次參觀了鄰近社區的動物園和植物園。我們也在海灘和一些小公園中野餐。這些經驗，給了我對這個城市全新的感受，讓我感到驕傲和溫馨。

你也可以在家裡看書，消磨掉一個假日。如果你想放下書本，稍微休息一下，你也可以看一些你喜歡看的錄影帶。在家度假也是簡化飲食習慣的最佳時機（第57法），在家度假，也可以開始每天例行的運動（第63法），或是完成你答應小孩要做的模型船。或者，你也可以試著在假日中發呆，什麼事都不做（第82法）。

提示：如果你告訴你的工作夥伴、朋友，特別是你的家人，你要「遠離」度假，不再為度假傷腦筋了，這應該是比較容易做的事。但是，相對的，你的假日也很可能因此被其他人佔用了。

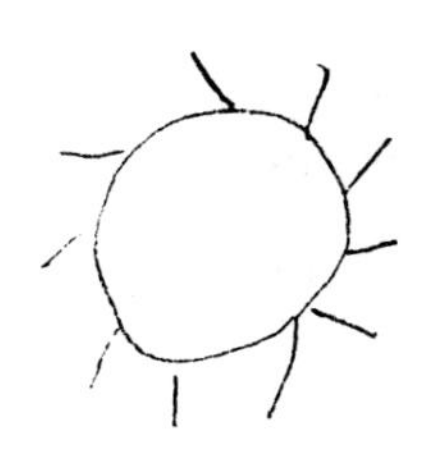

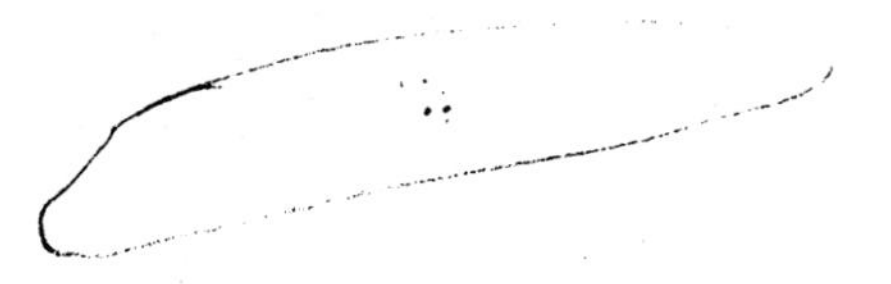

第三篇　你的財務

38 解決債務

解決你的債務，這是一個讓你父母從煩惱中解脫出來的好機會，像我就是如此。我的父母終其一生，就是要我們家人在財務上，遵守一個鐵的守則：「如果口袋裡沒有現金，就不要買東西。」我的父母不喜歡有債務，除非他們有東西去抵押，否則他們不會向人借錢。他們毅然地拒絕了二次大戰後的公債，因爲戰爭的心理因素，這些公債將可以得到很大的利益，但他們就是不要。不管什麼時候，他們需要任何一件小家具或是設備，他們會從自己的「備用基金」中拿錢出來買，如果基金用完了，他們也會每個月一點一滴地存錢，直到錢存夠了再說。

許多人就是遵守我的父母，或是我的祖父母那一代所留傳下來的這種觀念，一路生活下來。仔細想想，債務真是我們情緒和心理上的最大壓力源，今天，我們應該遵循這種觀念來過日子才對。

在美國，有五千五百萬人以上，被信用卡或是分期付款的債務壓得透不過氣

來。如果，你是這五千五百萬人的其中之一，底下有些建議，你可以試試看。

(1)你可以分階段性地解決自己的債務。

這個建議也就是說，你最好坐下來，確切地把自己所有的債務全清點出來，然後定出一個計劃，儘可能在最短時間內把債務還清，即使這個計劃要花好幾年的時間也沒關係，照樣實行。這也是一個對自己的承諾，承諾在自己的未來不會有債務。這是個可行的方法，但是需要你的自我要求和決心，以及一種要脫離債務壓力的强烈意願和約束力。

(2)如果你自覺沒有足夠力量去解決債務，或是你已經開始對解決債務感到心灰意冷，你可試著請他人伸出援手。

有一位暢銷作家，在他的著作《如何擺脫債務》中，提供了一個解決債務的方法。這位作家設計出的這個方法，已經幫助數千人順利擺脫債務的壓力。

不過，說穿了，這個有效的方法，還是必須要有決心及自我約束力才行。

我不敢誇言解決債務是一件很容易的事，但是，我能確定的是：儘速解決你的債務，有助於你簡化生活的計劃。

39 用收入的一半來生活，另一半儲蓄起來

據估計，全美國真正有辦法對現在及未來的財務作規劃的人，不到十％。大部分的人，在退休後的二十五年裡，都只能靠比社會救濟金多一點的收入來維生。然而，也有一些人只能靠社會救濟金來生活，這是不足以維生的。

我們已經成爲一個消費者多於儲蓄者的國家了。當人們被持續高漲的物價及不斷貶值的貨幣，逼得必須千方百計、千辛萬苦來求生存時，也正是我們大量消費、亂買一些我們不需要的物品的時候。

如果你覺得你的開支實在多得失去控制，以至於無法從收入中，提出相當的比例來儲蓄，那麼，這個時候，你應該非常仔細地檢視一下你是如何花錢的。如果你實在無法削減一些大的開支，那麼，你也可以從明年開始，先削減十％到十五％的花費。然後，第二年再削減十～十五％的花費，就這樣一年一年地，把花費比例削減爲五十％。

一旦，你可以作到削減一半的費用，相信你的開銷也會降低許多。簡化生活，不是只叫你省錢過日子，也不是叫你剝奪自己的生活權利。相對的，這是一個好機會，讓你真實感受生活真正重要的部分，也讓你達到一個中庸的自我節制境界；這些生活上的改變，不僅讓你擁有滿足感和安全感，也讓你有掌控生活的感受。

如果你一直生活在財務困窘的邊緣，可以試著爲你未來的需要，把每月收入的一定比例存起來。雖然這麼做需要持續一段很長的時間，但至少你已經走上簡化生活的路。

40 檢討你的購物習慣

許多年以前，吉伯斯和我決定要買一組舉重啞鈴，可以每天走路時練習。我們馬上衝到一家運動器材行，花了一千元買了一組啞鈴。

經過兩個禮拜後，我們使用這組啞鈴的次數，不過五、六次。最後，就把這組啞鈴放在角落，以後再也沒有使用了。

半年後，我一聽到我的朋友說，要到運動器材行買啞鈴，我就把那組啞鈴送給她了。她也只使用那組啞鈴一次，如果我猜得沒錯，她是不會再碰那組啞鈴了。除非，她又聽到另一個朋友要買啞鈴，然後把那組啞鈴又送給朋友，否則那組啞鈴是不會再被使用了。

這只是我們買過的衆多「無用物」其中之一的例子罷了，大部分的東西，都是買了之後，只用過一段短時間，就再也用不到了。事實上，這些東西也不是我們真正需要的。如果你也有這種購買行爲，你不必驚訝，或許你有些東西還買得

更貴。事實上，我們之所以會買這麼多「無用物」，都是得了一種「我必須現在就買」的購物症候羣。平均說來，每個美國人，像是我的生活、我的家庭、我的車、我的工作空間裡，都充滿了這種「寧可多買」的購物習慣。

當我和吉伯斯認真檢討，我們這種一再地買「無用物」的行爲，我們都承認需要反省自己的購物習慣。因此，我們坐下來，在紙上列出所有可以改善的事項：

(1)我們定出每個禮拜只有一天可以購物；而這天所要購買的物品，包括日用雜貨和其他真正有需要的東西。

(2)從現在開始，在買東西之前，必須徹底想清楚，是否真的需要買這個東西。我們買很多東西時，都只是爲了瞬間的滿足感罷了。我們最好也漸漸養成習慣，在買東西前問自己：「我們真的需要它嗎？」「我們需要用這個東西多久？」「買了這個東西後，還有地方可以放嗎？」

(3)我們可以延遲一些大筆購物的時間，或是任何小金額的購物，至少兩個禮拜，甚至是一個月。或許，在過一個月之後，你又會發現，事實上我們並不是真

的需要這些東西。

⑷不然，我們可以作個實驗，看看沒有那些我們認爲該有的東西，還能不能生活下去？能生活多久？每當我們要作購物決定時，可以和自己玩這個遊戲，讓我們保持家裡整潔的決心，得到充分的支持。

⑸寧可試著找出創意性的解決方法，而不要用購物來滿足自己的需求。打個比方，我們可以運用家裡的一些物品，像是厚書本或是在襪子裡裝滿砂子，來代替啞鈴，而不用跑到運動器材行，白花一筆錢。

41 改變逛街的方式

如果你很難控制自己的購買衝動，那就讓你的購買行爲變得麻煩一點。像是：把現金、支票簿和信用卡留在家裡，再去逛街。

對許多人來說，購物根本是個沒什麼大不了的習慣。不過，要改變一個習慣，最好的方法，還是要用另一個行爲來代替才行。你可以在紙上，列出一些可以取代購物的事項，這樣一來，下次你的購買慾又高漲時，你就可以用這個方法來取代購物的行爲。

打個比方，去散步、找朋友聚會、去圖書館或沖個冷水澡，任何可以阻止你衝動購買的事情，都可以是有效的方法。或許，剛開始，你會有一種被剝奪了逛街的樂趣的感覺，最後，當你不再被自己強迫著要去逛街、購物，你一定會有一種無法形容的解脫感。

運用同伴來幫助你。如果有些東西，是你真正覺得必須要買的，找一個了解

你購物習慣的朋友和你一起去，最好這個朋友可以體諒你的購買慾，而且可以幫助你改變購買習慣。當你們逛街時，讓你的朋友隨時警戒你的購買行為，因此，你只能買你真正需要的東西。不過，要確定的一點是：你要挑對朋友。雖然，我經常和朋友一起逛街，我們互相注意彼此的購買行爲，避免買到一些我們兩個都不需要的東西。透過這種方式，我們就可以修正我們的消費習慣。

試著用支票來付款。當然，這種做法要比付現金和信用卡來得麻煩，不過，這也促使你作更多的考量，避免受衝動影響，失去理智。再者，這種做法也可以讓你知道：你是如何消費的？你的錢是花在什麼地方的？

練習用一種挑剔、偏激的眼光，來看待任何廣告。這是對購物狂的最好訓練，一旦，這種訓練在生活中，漸漸淡去時，你必須重新開始，讓自己跟廣告保持敵意。否則，你又中了廣告商的計了。如此下去，有一天你會瞭解，廣告商要搜刮你荷包裡的錢，是一件多麼容易的事。所以，永遠和廣告保持敵意吧！

42 降低你的生活需求

在八〇年代，存在著一種迷思，人們總是認爲擁有更多的物品和雇用更多的人來服務自己，會使生活更加單純、舒適。在我實行簡化生活的過程中，我發現事實和上述的想法剛好相反。

檢討你的購物習慣（第40法）和改變你逛街的方式（第41法）將減少你整理物品的麻煩。這本書勾勒出的其他方法，將可以減少你在生活上的服務需求。

例如，一旦你開始實行簡化生活，你一定會覺得不需要清潔婦，自己整理房子是一件很輕鬆的事；你的飲食也不需要按照食譜那樣大費周章了；你也不用像無頭蒼蠅一樣，爲了一些雜事東跑西跑或是雇用一個司機；而你的衣櫃也可以縮減到最小的狀態，再也不需要流行服飾顧問了；你的投資單純化了，也不需要理財顧問了；你的購物活動也是降到最低，因此，你再也不需要更多的購物服務；你的娛樂活動減少了，所以你也不用雇奶媽了；你的電話系統也單純化了，因

此，你也不需要額外的答錄轉話服務了；你的草皮已經捨棄了，你也不需要一個園丁了；你的家裡變得簡單、整潔後，你再也不需要室內規劃師了；你的人際關係單純化之後，你也不需要去看心理醫生了；你的健康和減肥計劃是簡單又容易實行的話，你也不再需要營養師了。

現在，我們再談到個人的選擇權。我們每個人都必須爲自己作決定，像是要讓物品和服務的增加來成爲我們的負擔，或是停止增加這些東西來讓生活單純一點，都看自己的選擇。我們的生活目標，最主要是讓我們可以很輕鬆地管理我們的生活，但又能獲得生活中大部分的必需品，以及擁有自己想要的生活。藉著捨棄生活中大部分的物品和服務，我們可以得到一個全新的解脫感，然而，那些物品和服務，過去是我們認爲必須具備的，現在，你可以試試看，沒有了這些物品和服務，是不是還可以活下去。

43 只留一張信用卡

當我們決定要過簡樸的生活時，我和我老公一共有九張信用卡。我們根本不需要九張信用卡。我們甚至用不到九張信用卡，爲什麼會有這麼多信用卡？我們自己也搞不清楚。它們就是這樣來了，讓我們感覺一點負擔也沒有，頂多是信箱中多了幾張帳單罷了。在這種情形下，我們要多一兩張信用卡，不是什麼難事。但是，天曉得我們到底用不用得上？

事實上，我們只有外出晚餐和旅行時，才用得上信用卡，通常，我們都是當月就把信用卡的帳付清的。要擁有一張信用卡，不僅是一個麻煩，而且，我們每年還要繳交二十五～一百美元的「年費」。

這種擁有太多卡的情形，是到了我想清除信箱裡的垃圾信件時（第26法），我才意識到，我應該只保留一張信用卡，並把其他的卡都退掉才對。這將是我簡化生活的進一步發現。這麼做，不僅讓信箱裡的信件減少了一半以上（除了例行

的貸款繳款通知書外，也減少了許多促銷的廣告信函），也讓我們每年節省幾百美金的花費，當然也減少了攜帶和更換信用卡的麻煩。

在得到了這樣的結論後，我們取消了所有的信用卡，只留下一張信用卡。我們選擇了使用年費比較便宜，或是不用年費的信用卡，在利率上也選擇了對我們比較有利的發卡銀行。最後，我們選擇了每月付掉帳款，不用年費和利息的信用卡。現在，我們擁有的是一張免年費的信用卡，而且容易攜帶和使用。

完成這件事，是花了我一點時間，最後，我們終於享受到只有一張卡的便利。只要多一張卡，就有多一張卡的麻煩，這是遠超過一張卡所帶來的價值的。

因此，只留一張信用卡吧！

44 整合你的銀行帳戶

在我們實行簡化生活運動的早期，我察覺到我的銀行往來帳戶太複雜了。我有四到五家不同的銀行帳戶，這些帳戶是我每年逐漸增加的。其中一個帳戶是用來支付家裡開銷的；一個是用來作生意的；一個是用來當做生活意外準備金的；還有一個是用來投資的；最後一個是用來儲蓄的。我的一個當銀行行員的朋友告訴我，這種開立多重帳戶的情形，在現今社會裡是很普遍的事。有些人是開在同一個銀行；有些人的銀行帳戶則是遍布整個城市。就像許多擁有多重帳戶的人一樣，我也開始懷疑這樣做真的是一種便利嗎？

多重帳戶勢必會產生更多的信件，在這種情形下，不僅每個帳戶每個月都會有固定的帳單，每個月還有額外的促銷單、信用卡請款單和其他可以混淆一般信件的各類信函。

在跑銀行方面，不僅每個月要處理每家銀行的帳單，還要處理四到五家不同

的支票簿，而且還要另外記錄每一筆帳款的用途。我被這些帳簿和票據搞得頭昏腦脹的情形，已經發生好幾次了。

當然了，每次開出支票，我都要確定帳戶裡的存款是否足夠支付，這些事情，也讓我的生活變得更繁雜。

如果，你也發現自己一直被多重的帳戶纏身，那麼，只保留一個帳戶，取消掉其他的帳戶，可能會讓你的生活簡單許多。如果你堅持要保留儲蓄帳戶和生活準備金的帳戶，不管你想保留多少不同的帳戶，你都可以參考我在下一則的簡化票據系統的方法。

45 運用簡單的票據管理系統

當我取消掉大部分的票據帳戶，我仍然覺得有將支出作分類的必要。因此，我用一個帳戶來登錄這些分類帳，而且使用支票管理系統來整理這些分類帳。

例如，目前我在票據帳戶中登錄三種分類帳：家庭開支、儲蓄和投資。我準備了兩本和皮夾一樣大的票據登錄簿，和支票簿放在一起。只要我開出支付家庭費用的支票，我就在第一本票據登錄簿上標示著「家用」的分類帳。第二本票據登錄簿則分為儲蓄和投資兩個部分。

為了方便繳交銀行的貸款，我把錢存入「家用」的部分，然後，視需要再從「家用」部分轉帳出來。不管有多少金額，每次我將錢轉出，就在簿上作詳細的記錄。如果我們想買什麼東西，也可以從「儲蓄」部分把錢提出，如此，只要一本支票簿，就可以有不同的支付用途。

同樣的道理，在「投資」部分也是如此。一旦投資部分的餘額不足，我只要在登錄簿上轉移金額的記載就可以了。

當我要付銀行錢的時間到了，我只要把分類帳內的支出種類排列一下（家用、儲蓄、投資），就可以根據每一類的帳，開立支票。而且，每一筆存款餘額都記錄在登錄簿上，可以一目了然。

藉著這種在一個帳戶內分成三種分類帳的作法，我可取消掉其他的銀行帳戶、支票和銀行帳款。當然了，你可以根據自己的需要，來設立更多的分類帳。但是不要矯枉過正，讓你又變得複雜起來。千萬要記住！你的目的是在於簡化你的票據管理系統。

46 整合你的投資項目

在過去十五年來，共同基金儼然是小額投資人的避風港。我有一個朋友，她有一天一早醒來，才發覺原來她有一大堆共同基金的帳戶。當然，她是一直知道她擁有這麼多的共同基金，只是她一直沒有意識到，這麼多的共同基金帳戶，是使她的生活變得繁雜的一大原因。要處理這麼多基金的帳單和固定的促銷文件，一直讓她頭痛不已，最後，她終於崩潰了。除此之外，對她的會計師來說，每年要計算她所有基金的股利和個人所得，也是一場令人害怕的惡夢。

當她開始投資時，她覺得自己已經把投資事務簡化到最低程度了。但是，一旦作過許多研究後，她覺得有許多基金非常不錯，一定要買。過了一段時間，她又覺得又有其他的基金，聽起來好像也不錯，因此，她的投資愈來愈複雜。每次她一聽到有哪一個明星操作員又成立了一個基金，她就跟著開了一個帳戶。

你只要選擇一個信譽卓著的基金家族，大部分的投資顧問都會同意的，甚至

不用去管你所投資的基金，是否有長期獲利的可能。最重要的是，你必須不停地買進和賣出，一年進一年出地操作。如果你想要多一點的變化，可以考慮在你所選的基金家族中，買一些成長基金和免稅基金。

自從我的朋友開始整合她的投資基金後，她的會計師很感謝她；她的郵差也很感謝她；甚至連收垃圾的人也感覺到她的垃圾袋變得輕多了。

47 贖回你的抵押品

如果你正住在自己夢想已久的房子裡，想必你是用抵押貸款的方式來買房子吧！你可能有想過要階段性地早一點把抵押品贖回，或是一次全部還清債務。幾年來，我爲了節省自有住宅的房屋稅，一直讓房子成爲抵押品。事實上，你必須要根據自己的狀況而定，而且最好請會計師幫你辦理。但是，幾年下來，根本没有得到很大的效益。除此之外，很多人也開始瞭解：完全擁有自己的房子要比節稅來得重要。

以下有幾個方法，可以幫助你把抵押品贖回：

⑴化零爲整地付款。如果，除了固定的收入外，你時常有大筆的現金收入，你不妨考慮把這些錢拿去贖回自己的抵押品。你要先確定你的債主可以接受這樣大筆付款的情形，以確保你日後每月的分期付款，可以降低額度。

⑵支付額外的本金。你可以認真地考慮一下，減低你的貸款期間，在每月繳

交分期款時，你可以支付多一點的本金，如此可以替你省下幾千美元的債務開支。你必須徵得債主的同意，並保留一份分期償債的計劃書。如果你的本金利率有變動，你可以要求債主用下個月的利率來扣本金的利息。

⑶自從有人應用每次付款後本金累計的方式開始，這種方法就使得許多人吃不消。如果你也遇到同樣的情形，你可以根據自己的能力，來規劃每月還款的額度。這時候，你仍然要保留一些基本現金來支付利息。你最好可以早點繳清債務，不要去找其他的辦法了。

⑷賣掉你的房子，搬到一個較小的房子去。評估原來大房子的房價及在當地的地產價值，然後去找出最適合你搬入的地區和房子。你可以用賣掉大房子的錢，來支付小房子的所有費用，這是有可能的。至少你可以減少許多貸款。

任何贖回抵押品的計劃，都必須在於你沒有額外的負債才行，像是信用卡、其他物品的分期付款等。而且，你可以保留足夠的生活基金，來應付緊急事故和投資所需。早一點贖回你的抵押品，或許無法短期內讓你的生活變得很簡樸，但是，你至少可以免於每個月要交貸款的龐大心理壓力。

48 下次買車時，選二手車吧！

當你想到，買一輛新車後，一旦開上路要再轉手賣掉，就必須損失三十%或是更多的代價時，你一定會懷疑：爲什麼有那麼多人要買一輛全新的車？

大部分會買新車的車主，在開新車的兩到三年後，就要再換一次車。這種新車淘汰的現象，提供了二手車市場大量的貨源。通常，這些原車主都會很小心地開車及保養，因此，只要你請一些技工幫你挑車，一些大毛病應該是很容易找出來的。一般來講，如果一輛車出問題，都會發生在新車出廠後的五千到一萬公里之中。

此外，切記一輛中古車再過兩年後，它的車價會再掉落三十%左右。因此，如果你直接向車主買車，而不透過中古車商仲介，你可以省掉比原新車牌價低六十%的錢。

買二手車不僅可以讓你省錢，還可以省掉你財務上及每個月繳貸款的麻煩。

最重要的，如果你很小心地買二手車，或許你還可以買到一輛沒有任何毛病的好車，至少你可以跑個幾千公里而不用擔心車子拋錨了。

49 教導孩子負起財務責任

我有個朋友，她最近感到生活很困窘，因爲她才剛離婚。在離婚協議書上，她同意放棄她的高馬力進口車，想再去買一輛一般型的車子就好了。她帶著十歲大的兒子一起去挑車子，結果，在兒子不斷地要求和衝動之下，買了一輛更貴的車子，配備皮製椅套，此外，還要額外花五萬元去作金色的裝飾美容。她儘管感嘆自己花了所有可以動用的錢，不過，她還是不能讓孩子知道：她買不起這輛車子。

我們都要孩子得到最好的，而且，確實有些時候，我們無法向孩子說「不」！但是，我想不通，我們到底給了孩子怎麼樣的用錢示範，讓孩子一直想用錢來買那金光閃閃的「空中樓閣」，尤其是在我們經濟不好的時候。

當我們形成一種新的消費習慣時，不管是爲了滿足自己的慾望，還是真的有需要，我們的孩子也接收了同樣的想法。孩子們的可塑性很高，他們可以瞭解凡

事都有個合理的限度。但是，我們必須讓孩子們知道那個限度是在什麼地方。

教導你的孩子們，將他們打工賺來的錢，儲蓄一半起來。孩子們可以學習，就像我們可以學習一樣，我們沒有必要看到什麼，就要買什麼；也沒有必要凡事都跟別人比較。孩子們可以學習，就像我們一樣，我們可以給孩子們一個選擇：如果新車要有金色裝飾的話，他們就不能買越野單車了。孩子們會因此學到如何去控制預算，好讓他們的花費不會超過他們的收入。孩子們也可以學習，如何解讀廣告上的東西，是要刺激我們去購買一些我們不需要的東西。孩子們也可以學習到：如果他們沒有錢，他們就不能買東西。而且，如果他們以信用卡買東西，將會使他們的財務愈來愈糟。

教導我們的孩子如何用錢，是我們送給孩子們最好的禮物之一。這樣做，不僅可以簡化孩子們的生活，也可以簡化我們的生活。

第四篇　你的工作

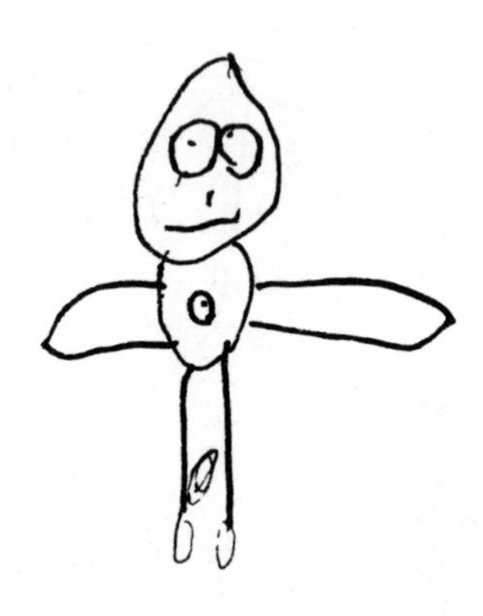

50 不要做行事曆的奴隸

當我小學三年級時，我開始製作「行事計劃表」。幾年後，我從原來的螺旋環裝訂的小筆記本，升級到大好幾倍的黑色皮製公事包型的萬用手册。這個手册是用三個鐵環裝訂起來的，裡面有一張攤開來爲兩頁大的每日計劃表，還有其他許多表格化的工作目標表、優先處理表、企劃表、決策表、通訊表、電話地址登錄表、備忘錄、開支摘要、個人資料、每日（還有週、月、年）行事曆，還有一堆該死的表格，讓人不知所措。這是每一個稱職的上班族必須熟悉的個人管理系統手册。

我真的花了一些時間和金錢，來學習如何使用這個萬用手册。我每天必須例行性地花三十分鐘的時間，來評估工作情形，像檢視完成的項目，然後把一些未完成的項目，轉錄到明天的行事曆上。整個萬用手册重達二公斤以上，放在桌上，也要佔掉六十公分見方的空間，而且，一旦我在路上突然想到一個好點子，

或是想起一些要記錄的備忘事項，我也不能帶著它到街上去。

對某些人來講，這種萬用手冊可能是一個很有用的工具。我每天有一大堆電話要打，約會排得滿滿的，手邊也隨時有一大堆企劃案，而且，我還要不時地去追蹤這些事情的發展。就像許多忙碌的上班族一樣，我實在是忙昏頭了。

很幸運地，我有一天凝視著這些計劃表，忽然察覺到：我不用把生活弄得這麼複雜才對。這也是促使我開始實行簡化生活運動的肇因。

漸漸地，隨著時間的流逝，我不僅簡化了我的家庭、個人和工作上的內容，也簡化了我的管理系統。我把原先的巨大萬用手冊換成一本小行事曆，這本小行事曆小到可以放在口袋中，即使放在桌上，也僅佔掉一個小角落而已。這本行事曆中有許多插頁，但我始終只用到一小部分而已，而這麼做是最合乎我的簡單生活的方式。

如果你一直被你的時間管理系統或行事曆控制著，或許，現在是你擺脫它的魔掌，轉而讓你來控制它的時候了。

51 讓工作和生活在一起

幾年前，我的丈夫在市中心工作，而我們卻住在市郊，搭通勤火車也要將近兩個小時的時間。這也意謂著，他要像數百萬其他通勤者一樣，每天要花將近四個小時的時間，來往於住家和辦公室之間。通常，他在清晨六點半就要出門，而在晚間七點左右才回到家。這是不是很瘋狂？的確是。爲什麼我們要這樣折磨自己？對某些人來講，這或許是一種「積極進取」的精神。但是，當我們認真面對這個事實時，才發現：我們是在爲一個不確定的未來，出賣自己的現在。所以，我們在生活上做了幾項改變。

我們搬到和工作地點同一區的鄉間。這個差別就大了。現在，我們可以在清晨時沿著海灘，輕鬆地散步二公里後，才慢慢地用早餐。吉伯斯可以在八點十五分左右出門，而在八點半以前就到辦公室了。而且，他至少每個禮拜一次，會在禮拜三下午提早下班，然後，花個幾小時的時間，爬到附近小山丘的山頂，讓他

的頭腦可以清醒一點。通常，他可以在下午五點半左右就回到家。另外，在比較空閒的日子裡，我們也會去划船，或是在晚餐前再散步一趟。我們也可以花很長的時間一起看書，或是一起看美麗的夕陽。這些活動對我們來說，是非常重要的，而這些活動，是過去我們無法做的。因爲他過去經常在擁擠的通勤火車上，耽誤了回到家的時間。這些活動，對於那些被堵在通勤的高速公路上的人來說，也是很難做到的。

的確，我們毫不懷疑地放棄一些都市人的「積極」特性，消極地搬離了文明中心，但是，我們的生活品質因此得到莫大的提升，這也是不爭的事實。唯一讓我們不解的是：爲什麼我們不早點這樣做？

52 做你眞正想做的事

儘管有很多因素會讓你的生活變得煩悶複雜，但影響最大的，是你每個禮拜有五到六天，每天有八到十個小時的時間，都花在你不喜歡的工作上，或是去做一些你不喜歡做的事情上。

很不幸地，要說出什麼是你最喜歡做的事，而且還要你去做，不是一件很容易的事。這不像你取消訂閱報紙那樣簡單，要取消報紙，只要一通電話就可以了，但是，要你重整自己的生活，好讓你去做真正喜歡做的事，卻要花上好幾個月的時間，也說不定。

如果，你知道你想要做什麼，那事情就好辦了。你只要下定決心，然後盡全力讓自己的生活有所改變，就算是成功了。當然了，你的目標可能是繼續做一些研究、擴展新的人際關係、提升自己的學歷，像是重新回學校讀書，或者橫越市區、國家，開始去做所有你想做的事。

如果，你不知道你真正想做的是什麼，你可能要多費一些工夫來找出自己想做的事，像是自我分析、測試、諮詢、做實驗，最後，找出自己最想做的事。像我就花了兩年的時間，去找出自己真正想做的事，然後，調整自己的生活，開始做自己喜歡做的事。我敢保證，不管需要付出多大的代價，都值得你去找出自己喜歡的生活型態和事情，因爲，這樣做對你將來簡化生活時，有相當長遠的助益。

53 將嗜好融入工作中

簡化生活，讓我得到最驚奇的好處之一，就是：我擁有了更多的時間，來享受我的嗜好——「讀書」。當然了，還有其他許多好處，至少，挪出一些時間讓自己放鬆一下，對簡化生活有很大的幫助。

幾年前，我的朋友珊卓拉，是一位律師，她在夏天的時候去找住在義大利的姊姊。她姊姊建議她去拜訪隔壁的雕刻工作室。珊卓拉對於雕刻完全不懂，而且她也不是很感興趣，但是，山上實在是沒什麼事好做，她只好過去看看。雖然她不懂得雕刻藝術，但是，她卻找到了真正可以改變她一生的興趣。

她在義大利時，只要一有空檔就跑到那間工作室去，學習任何有關雕刻的事。當她回家時，她報名參加了雕刻訓練班。平時，她繼續投入她的法律工作，但是，一到下班時間或是週末，她就投入雕刻的世界中。漸漸地，她開始需要各式各樣的工具，最後，她在家裡也設立了一個工作室。不久，她就在當地的藝術

展覽館出售她的作品。最近，她辭掉她的律師工作，成爲一位全職的雕刻家。她經常巡迴全世界，在各地的美術館中展出她的作品。

珊卓拉說，她從來没有享受過這麼美妙和簡樸的生活。在投入雕刻生涯之前，她的生活充滿了電話聲、約會、宣誓證言、訴訟摘要、法院出席，以及無數需要法律專業來解決的雜事。現在，每天早上她起床後，穿上牛仔褲，然後到工作室去雕刻，就是她生活的全部。她的經紀人會幫她處理所有事業上的雜事。當然，她已經做了她想做的事了，而她的興趣也爲她帶來了簡樸的生活。

我的另一個朋友，他更是結合了他的興趣和工作：駕駛直升機和物理治療。他在偏遠的遊樂區創立了一種新行業，那些地方經常有一些旅行或是各項戶外的運動，在假日的時候，會有一些人受傷，他則負責用直升機載這些傷者到外面去治療。他簡化了他的生活，因此，他可以做他想做的事。雖然，新的事業有點麻煩，但是他甘之如飴，因爲他的世界完全不一樣了。

不論如何，如果你還没準備要做自己想做的事，那麼，你可以從自己的興趣下手，這是一個可行的方法。

54 樂在工作

當我決定要簡化我的生活時，在工作方面，我首先要做的事，就是削減十%的工作時間。我計劃讓自己每天早一個小時下班，我非常驚訝，原來這不是難事，而且，這麼做幾乎不會影響到我的工作品質。事實上，我的工作品質和效率反而因此提高了。漸漸地，我又再提早了一個小時下班，雖然稍微影響了工作，但我卻因此獲得更大的滿足。我開始感到好奇，爲什麼會這樣呢？原來，以前我一直陷入一個錯誤觀念：我必須在今天把所有的事情都做完，不然，最晚明天也要全部做完。因此，我不知不覺催促著自己不停地工作，增加了許多不必要的壓力，這是非常痛苦的。

漸漸地，我開始懂得去處理別人打給我的電話，並不是每一個留話，都要馬上回電不可。有些可以等個一兩天再回，有些甚至可以等一個禮拜。最後我發現，只要我高興，有些電話甚至可以不用回電。

我決定每天撥出一個小時，來應付那些擾人的電話、臨時會議、尋找文件和其他會剝奪我的時間的雜事，這些雜事在商業社會中，是不可避免，但又是我們很少去留意的麻煩。這也意謂著，我必須多浪費一個小時沒有生產力，不過，至少那些麻煩都會在這個小時內，被解決掉。明確地規劃這種時間，可以强迫我去正視那些麻煩的存在，而且，也可以減少伴隨而來的煩惱。

不可否認的，我是爲自己工作，沒有老闆在牽制我，所以我比較容易做到這種效果。但是，相對的，就像許多做過這種事的人知道的，我們通常會給自己製造更多不切實際的計劃，而這些是老闆不會給你的。

總之，不管你每天工作十到十二個小時，爲的是自己或是別人，你都應該減少你的工作量，即使你只在每個禮拜中的一、兩天中，減少一個到二個小時的時間，相信必然會爲你的工作帶來更大的效率。

55 脫離繁忙的工作

我們之所以會工作繁忙，原因是我們做了太多沒有生產效率的事，浪費太多時間所致。像是削鉛筆、清理桌面、打一些沒有必要打的電話、泡一杯咖啡、排計劃表、草擬報告、做研究、打更多不重要的電話等等。我們深信在進入正式工作之前，這些事情是非做不可的。事實上，有些工作會忙得不可開交，是必要的。但是，我這裡所提到的工作，是屬於那種沒有必要繁忙的工作。

工作會變得繁忙，只有兩個原因。第一，我們不去做那些真正該做的事；第二，我們實在沒有什麼事好做，但是，我們必須表現得很忙的樣子。在這個工作狂的時代，繁忙的工作已經是一種藝術形式。因此，在某些情況來說，我們每天一定要花十到十二個小時在辦公室，是一個不可避免的現象。

當我開始減少工作而增加休閒時，我首先捨棄的是繁忙的工作形態。我們很難界定，什麼樣的工作，才是繁忙的工作。因爲，每種工作對每種人來講，都有

不同的難易度。不過，即使你不想公開承認，你自己心裡也有數，什麼樣的工作是繁忙的工作形態。我能告訴你的是，當你脫離繁忙的工作時，你的生活也會簡樸許多。這並不是因爲你的工作量少了，而是由於你更能從工作得到滿足，而提高工作效率。如果你在工作之前，就事先規劃好一些事情的處理順序，然後照著計劃表上的事項工作，相信你的工作就不會再繁忙了。

56 將家庭融入你的工作生活中

我有一個朋友，她是一個很成功的電視製作人。她可以在工作上發揮她的專長，但是，她總要在辦公室長時間地工作。她和一個自由藝術家結了婚，她老公父兼母職地帶著兩個小孩在家工作。

他們決定要簡化生活的方法之一，就是讓孩子們融入他們的工作中。孩子們非常喜歡爸爸的工作，孩子們可以自由地在爸爸的工作室進出，也可以到展售爸爸作品的美術館去。每個禮拜，至少有兩個下午，爸爸會帶著孩子們到媽媽的辦公室，一起吃午餐。然後，再花一個或兩個小時的時間，看媽媽工作。他們可以說都是媽媽的工作夥伴，媽媽也常鼓勵同事們帶自己的小孩來辦公室。

把兩個小孩帶到她的辦公室，可以說是在消耗她和丈夫的時間，不過，他們夫妻倆都認爲這麼做是值得的。孩子們可以因此知道，父母不在他們身邊時，都在做些什麼事，並且可以對父母間的工作對話，產生一種親切感。她在還沒帶孩

子到辦公室之前，每次她要出門，孩子們就會無理取鬧地哭著不讓她離開。現在，孩子們知道媽媽要去哪裡，要去做什麼事，因此，當她離家要去上班時，孩子們都會很順從地讓她離開。

除此之外，帶孩子到辦公室，至少還有一個好處，那就是孩子可以減低你的工作壓力，及緩和工作環境的不和諧。她的許多主管，都覺得給孩子一個微笑，抱著孩子在膝上抖動，或者花點時間替好奇睜大眼的孩子，解釋一些疑問，都是對工作壓力的一種特別治療。有孩子在辦公室裡，可以讓同事之間的關係更親密，這也讓同事們有機會瞭解，別人的家庭成員也有這樣特別的需要。

不可否認的，有許多人的工作場所，是不適合小孩子去的。但是，你還是可以想出許多辦法，讓孩子進入你的工作生活。或許你可在週末公務比較不繁忙的時候，把孩子帶到辦公室去看看。讓孩子們認識你的工作夥伴們，或許，也可以認識他們的孩子。你可以讓孩子們知道你在做什麼，也可以展現你的工作範本，或是一個成品。讓全家人團聚，必然是現今世界上，化解繁複生活的一個好方法。如果你想簡化生活，讓孩子們融入你的工作生活，是一個很好的開始。

第五篇　你的健康

57 簡化你的飲食習慣

談到簡化飲食，我不得不承認，我心中所謂的美食，只是塗上花生奶油和果醬的三明治罷了。我知道我這種簡化飲食的想法，是無法讓那些美食者接受的。但是，當我們開始要簡化生活時，我決定縮減至少一半的作菜時間。現在，我的作菜時間，最多只要十分鐘。我的意思是，如果我們喜歡的食物，只是玉米片加上沾醬，爲什麼我要花很多時間在廚房呢？

除了縮減了一半的作菜時間外，要簡化飲食習慣，還有兩個重點：

第一，即使我真的必須去準備一頓沒有必要的宴會餐，我也會選擇健康和營養的餐點。對我們來說，也就是包括新鮮蔬果和穀物的餐點。

第二，我要我的餐點，是低熱量、低脂肪和低膽固醇的。再者，最好都是新鮮的蔬菜和水果，而且儘量保持它們的原味，水果不加料、糖霜攪拌，蔬菜不加肉汁或乳酪。這麼做，也減少了一半的用肉量，特別是紅肉。

而且，我要完全削減處理食物過程所浪費的時間。

現在，我們的餐點菜單如下：

早餐：當季的新鮮榨柳橙汁和果汁，自製的燕麥鬆餅。

午餐：新鮮水果和未經加工的蔬菜，全麥麵包作成的三明治，一小片烤火雞肉或蕃茄、胚芽餅。

晚餐：一盤生菜沙拉或冷湯，例如夏天喝義大利蕃茄湯，或是冬天裡豐盛的蔬菜湯或沙拉，或是蒸生菜。

這些菜單看起來沒有什麼特別的。但是，這些絕對是那些營養專家會推薦給你的菜單。而這些菜單真正特別的地方，是可以幫你省下一半的作菜時間，也可以爲你每個月的菜錢，省下一半以上的費用。每當我經過雜貨店時，我按照我在電腦上打出來的菜單來採購，竟然沒有什麼東西需要買的，這是令我又驚訝又高興的。現在，我們要做的是，割捨那些被包裝好的食物，這樣一來，我們也可以減少大量的垃圾食物。

58 到餐廳共享一份餐

我和我丈夫剛結婚時，我們通常一個禮拜有一次或兩次在外用餐。我們會在喝餐前酒時，點一道開胃菜，而當我們在等沙拉和酒時，會先吃掉塗奶油的烤麵包。我們各自點一份主菜，像是牛排、蔬菜餐和拌有奶油、發酵乳的煎洋芋。在餐後，我們還要吃一客含一千卡路里的甜點和餐後飲料。天啊！我們已經永遠脫離那種日子了！

當時，我們漸漸地發現體重愈來愈重，我們意識到必須要做個改變。我們做了許多試驗，經過幾年，最後我們有了一些心得：

我們兩個人都不再喝酒；我們實在是厭煩了早上一起來，就感到頭腦昏沉沉的，我們寧可吃甜點來補充這些熱量。我們終於懂得，叫侍者把那些烤麵包和奶油收走，這些東西我們不是一定要吃。現在，我們兩個人到餐廳，都只點一份餐點兩個人共用，如果，我們兩個不想吃同一種主餐，我們就會各自點一份餐前

菜。這些餐前菜，像是沙拉，通常都是遠超過一個人的食用量，特別是甜點，當然我們也是兩個人共用一份甜點。

現今很少有餐聽，爲那些注意自己體重和健康的客人準備合理的食量。甚至，更少有餐廳會去面對女人的食量比男人小的事實。我認識一些節食俱樂部的人，他們面對自己喜歡的一大盤食物，可以忍住不吃一口。此外，大部分的人都是像饑民一般，大盤大盤地吃。

最近這些日子以來，大部分的餐館都可以接受你點一份共享的餐點。即使他們要你付「半套餐」的費用，這也是值得，至少比你點了一份全餐，只吃一半，然後另一半丟掉來得好；如果你勉強全部吃掉，也是多塞了半套的廢物在你肚子裡罷了。如果，你在一家餐廳裡，發現他們的食物配量，没有人性化的考量，或是不能接受點「半套餐」，那麼，你就不要光顧這家餐廳了，最重要的，要讓餐廳經理知道你爲什麼不再光顧。

我們時常在外用餐，我們也經常共享一份餐點，既没有罪惡感，也不會有飲食過量的煩惱了。

59 一週吃一次水果或果汁餐

簡化你的飲食習慣的另一個方法，是一個禮拜吃一次水果或果汁餐。

當我還是單身時，我已經這樣做好幾年了。我挑了禮拜六來做爲吃水果餐的日子，因爲這一天我比較空閒。我經常在家裡吃水果或果汁餐，因爲可以方便地使用果汁機或蔬果攪拌機。

自從結婚以後，我把吃水果餐的日子改到禮拜一。我做這樣的安排，不僅是因爲有了丈夫和孩子的關係，而且也可以讓我們習慣在週末吃完大餐後，在禮拜一可以有個適當的飲食均衡。每個禮拜選擇一天，只吃水果不吃別的東西，確實可以控制我們的體重。

現在，我們已經成功地簡化了飲食習慣，但是，我們仍然很有規律地進行全日吃水果的作法。我們喜歡的吃法之一，是用蘋果、香蕉、一些柳橙和一堆新鮮草莓或藍莓，或者是新鮮梨子所打成的果汁。當然了，你可以選擇你所喜歡的水

果，去打成果汁，都有同樣的效果。我們把所有的水果，都放到果汁機中攪拌，所作出來的果汁，就像是營養豐富的濃稠奶昔一樣。雖然，這麼做會有點複雜，甚至有點罪惡感，不過，這是一件非常值得做的事。

60 謹慎選擇飲料

我們所喜愛的消費性飲料，幾乎都是咖啡、蘇打、牛奶、含酒精休閒飲料、果汁汽水以及茶。

事實上，我們有必要去慎選飲料，其中最重要的原因是：這麼多我們可以選擇的飲料中，真正對我們有好處的，實在是不多。

現今我們所習以爲常的困擾，是這些飲料中摻有提神物的問題，而且，問題不只是蘇打水或無糖飲料中，所含的潛在有害添加物及熱量而已。當我在幾年前瞭解了我們所能選擇的飲料中，含有大量卡路里時，我就改變了喝飲料的習慣，只喝開水。這是我個人的選擇，因爲，我寧願從一些巧克力甜點中獲取熱量，也不願從飲料中獲得。

如果你能爲這些高熱量的飲料尋找替代品，相信你可以很容易地在一年之中，減掉十到十五磅的體重。如果你是屬於體重超重二十%的族羣，那麼，你更

應該去改變你喝飲料的習慣。

如果你的自來水是乾淨的，而且水質很好，那你就不必去買瓶裝的水。我們這地區的自來水，喝起來味道很糟糕，所以，我們都喝蒸餾水，這比起前面所說的那些飲料，不僅更便宜，也容易買到。只要加一點冰塊和一小片檸檬在蒸餾水中，你會發覺這比市面上一些有品牌的包裝水還好喝。

如果你已經習慣喝味道重或是有刺激性的飲料，或許剛開始喝蒸餾水時，你會很不習慣。但是，只要你喝一段時間，你會發現過去喝的甜蘇打水和那些添加碳酸或咖啡因的飲料，真是一項不智之舉，你也會發現，我們已經是一個沉溺於喝這些不健康飲料的國家。另外，你也會爲這麼多的玻璃瓶和鋁罐的回收量，感到驚訝。

當然了，如果你有小孩，你更應該讓孩子遠離這些碳酸飲料。有一天，孩子們一定會感謝你的。

提示：切記！咖啡、咖啡因和含碳酸物（汽水之類）的飲料，是很容易讓人

上癮的。因此，你必須在心理和行動上堅持到底。即使你不是一個喝咖啡成癮的人，長期喝咖啡，會導致一些嚴重的退化症狀，像是偏頭痛、憂鬱和嘔吐等。你可以在第一個禮拜，先減少一半的飲用量，然後第二個禮拜再減少爲四分之一，第三個禮拜，你就可以完全免除咖啡帶來的負作用了。

61 吃鬆餅

幾年前，在一項例行的血液檢查後，醫生發現我和我丈夫都有膽固醇增高的現象。經過一些分析，我們決定減少食用紅肉。而且，我們開始去光顧燕麥糠的攤子。

我們用藍莓燕麥餅加楓樹糖漿，來代替過去的培根加蛋當早餐。而且，吉伯斯也開始嘗試燕麥糠鬆餅的作法，來發展自己喜歡的低脂肪口味。我們也因此開始用燕麥鬆餅來代替麵包。在這種吃法下，幾個月內我們的膽固醇就降到標準的範圍了，而且，額外的好處是，我們的體重也減輕了。

每個禮拜，我們差不多要吃掉十二塊雙層的鬆餅。鬆餅的作法，是把所有的材料加入奶油，攪拌約十分鐘，然後再放到烤箱中烤個十五分鐘。

這些鬆餅可以加一些穀類或是水果當早餐吃，或是配上沙拉當作午餐吃，也可以當作是一種低熱量、高纖維的點心。這些鬆餅不僅好吃，而且也很營養。我

們希望有一天，可以得知我們的膽固醇指數又下降了，同時，我們也可以繼續地享用這種簡單又健康的食品。

吉伯斯的燕麥鬆餅菜單——

二又四分之一杯的燕麥糠
一匙烘烤粉
四分之一杯的糖或是糖漿
二匙切碎的杏仁
一把葡萄乾或藍莓乾
四分之一杯切碎的可可果
四分之一杯的脫脂牛奶
兩個蛋
兩串香蕉

把所有的乾性材料混合在一個碗裡，然後再和其他的材料，放在果菜攪拌機中混合攪拌，直到所有材料完全混合。然後，把打好的混合物，裝入做鬆餅的模型中，留一點空間好放一些配料，如果你放的是藍莓，你可以很容易地放進去填滿模型。

接著，把烤箱的溫度調到二百五十℃，一直烤到上層稍微焦黃（大約是十分鐘）。如此，大約可以做出一打的鬆餅來。

當鬆餅冷卻後，我們把鬆餅裝在袋子裡，放在冰箱。等我們要吃的時候，再把鬆餅拿出來，用微波爐加熱約三十秒，就可以吃了。

62 打包你的午餐

這個構想是爲了避免長久以來，總是吃商業午餐或是狼吞虎嚥地解決午餐，所想出的因應之道。

如果你也和我一樣，喜歡吃東西，而且常在餐廳點菜時，有過於得意忘形、愈點愈多的傾向，那麼，你應付商業午餐的最好方法是：不要去吃商業午餐。這麼做也許和你的商業生活有出入，而且，上班族吃商業午餐是不可避免的，但是，只要你能這麼做，相信你的腰圍和錢包，都可以有讓你驚喜的好結果。

取代商業午餐的替代品，可以是商業早餐，只要你能點一杯新鮮的柳橙汁或一小片檸檬，或者在下午茶、晚餐前可以點到礦泉水的地方，你都可以打包一份商業早餐。另一個辦法，就是你在點餐時，自已節制一點。而我自己在點餐時，都還無法有所節制，因此，我無法告訴你節制的方法。

打包你的午餐，比你在餐廳用餐或是狼吞虎嚥地吃飯，多了很多好處。首

先，你可以控制你所要吃的東西。你可以打包一些新鮮水果、蔬菜或是三明治，不用擔心熱量過高，這些東西都是經過仔細處理的。

第二，你可以控制你的食量。你是否經常因爲侍者把餐點全部放在你面前，而導致你飲食過量呢？而又有多少次，你因爲捨不得浪費東西，把餐點全部吃完呢？只要在你吃完早餐時，再打包一份當做午餐，你的午餐就不用傷腦筋了。

第三，毫無疑問地，打包一份早餐的費用，是遠低於到餐廳用餐或是到餐車買午餐的。

或許，你會抱怨每天早上多包一份早餐，會讓你每天的例行事務，又多了一樣。但是，只要你在電腦的購物單上多列這一項，而且讓它形成習慣，所花的時間是非常少的。不論如何，只要你習慣了，打包一份午餐總要比你上餐廳來得省時。你不用再花時間去找餐廳、等待帶位、決定你的菜單，然後等著上菜、用餐、等著付帳。而且，也不用花時間和一起用餐的夥伴吵著誰要付帳、計算小費、付錢、等著找錢，然後再走回自己的辦公室。

當你要打包一份午餐時，別忘了準備一個蘋果。蘋果是非常棒的食物，不僅

含有豐富的維他命C和其他維他命、礦物質和你所需要的營養，而且含有高纖維，没有脂肪。蘋果所含的膠質，可以緩和胃痛，也有飯後清理腸胃的作用。在禮拜一吃一個甚至兩個蘋果是非常好的事，因爲它可以治癒上個週末的過食症。此外，旅行的時候，也可以帶蘋果在打包的午餐裡，數量不限。試想，還有什麼事會比這簡單？

63 離開健身器材，去散步吧！

在一部電影中，有一個驚人的場景，一個時髦的女郎要和她的體能訓練師更改會面的時間，她必須要開完會之後，才能和他會面。她接著還要去和她的指壓治療師見面，之後，她才能到健身俱樂部去作按摩和一些健身課程，而在這之前，她還必須先讓人踩在背上。

上面的場景，對我們曾參加過的健身團體來講，只是輕描淡寫，還不算誇張的地步。但是，這些激烈的健身活動對我們真的有幫助嗎？如果我們全心投入的話，或許會有幫助吧！但是，衰弱的身體通常是由許多好意造成的。在健身室中，大家使用健身器材的平均次數不過七．二次，其他的時間就只能坐在角落乾等。花了這麼多的時間，不僅擾亂了你的生活，也讓你有罪惡感。如果你根本都沒有使用這些昂貴的健身器或是俱樂部會員證，你的罪惡感就更加沉重，如此一來，只會增加你的生活壓力而已。

然而，我們卻漸漸地耽溺於這種由健身衍生出（被強迫）的競爭活動中，當然了，在理論來講，我們這麼做，可以放鬆自己，並且可以保養身體和增強體能，不過，這只是理論罷了。現在，對於這種高級技術和設備的運動，是該放棄的時候了，寧可去散個步吧！

散步不需要高級、華麗的設備，不需要新的運動服，也不需要俱樂部會員證，這是你可以做的最佳運動。根據美國國家健康研究所及美國海軍的體育教育部門的報告，毫無疑問地，每天散步三十分鐘，一個禮拜只要三天，就提供了足夠一個人維持健康的活動量。有了一個舒適輕鬆的散步，不僅可以增強心肺和呼吸系統，還可讓頭腦清醒和緩和疼痛。散步，也提供了一個我們和大自然接觸的絕佳機會，聆聽鳥叫聲，感受季節的來臨，給鄰居一個友善的微笑，遛遛狗，給自己一個寧靜的片刻，享受人生。

試著散步一個月看看，不論天氣是好是壞，每天提早半個小時起床，然後去散步。如果你不喜歡一個人散步，可以找你的家人或是好朋友一起去。如果你有孩子，可以讓孩子和你一起散步。這也是一個好機會，可以教導孩子去體認有規

律運動的重要性。一旦你散步了一個月，很容易地就能持續半年了。當你持續散步了半年之後，你就可以決定，是否要一輩子保持散步這個習慣了。

在你的生活中，很難有一種運動，可以讓你的心靈豐足、沒有壓力，而且，對你的身體有很大的幫助，最主要的，是比任何運動都簡單易做。散步，就是這種運動。

64 提早一個小時起床

一天之中最好的時刻，是你起床前的一個小時。如果，你和大部份的人一樣，設定好了起床時間，相信你該有足夠的時間梳洗、吃早餐，然後很快地掃視一下報紙頭條新聞的標題，或許你還有時間送孩子上學，然後，在八點半或九點以前到達辦公室。相信你到辦公室也沒時間偷懶閒聊了。

想像一下，如果你可以在早上多出一個小時，做一些你想做的事，那該有多好啊！像是去散步，或是給自己一個早起的戒律去做一些事，或是有足夠的時間，和家人輕鬆地共進早餐。

每天多出的一小時，如果你用來做工作以外的事，對紓解壓力及讓自己的步調放慢，有著非常好的效果。研究報告顯示，我們年紀愈大，需要的睡眠時間就愈短。如果你可以在早晨提早一個小時起床，相信這一個小時對你的幫助是很大的，至少，總比你試著繼續睡還好，而且多睡並不見得是你需要的。

如果，你從來没有機會去享受黎明前的寧靜，我建議你明天就試試看。你必定會因生活忽然豐富起來，並且感到平靜、簡樸，而得到很大的驚喜的。

65 每週有一個晚上九點上床

幾年前，我的一位朋友給我這樣的建議。很快地，當我去實行時，就獲得非常大的好處，我和吉伯斯就決定把這個建議，也納入簡化生活的運動中。我們找了禮拜五這一天，晚上九點就上床睡覺。這麼做，不僅讓我們一個禮拜以來所累積的疲倦，可以得到舒服的解放，也給了我們一個輕鬆週末的開端。後來，我們發現，整個禮拜下來，我們最渴望的寧靜時刻，就是禮拜五提早上床睡覺的夜晚。

如果，你已經削減了一些熱鬧的娛樂活動，無論如何，你禮拜五晚上一定要待在家裡，如此，才能開始有一個美好的夜晚。禮拜天，也是很適合提早睡覺的日子，因爲，禮拜天的事情通常是比較少的，而且，提早睡覺也可以讓你充分休息，好應付一個禮拜的開始。

不管你選擇哪一個晚上提早睡覺，你投資在睡眠上的，將會得到很大的回

報。例如，你這麼做必定會比晚睡時來得精神充足、神清氣爽，而且，在能量充足之後，你的工作和休閒的效率及品質，也必然提高許多。

自從我偷偷地愛上睡覺，我開始思考：爲什麼我不早點想到這個建議呢？最後，我才恍然大悟，原來我一直深植著新教徒的工作倫理，我總是覺得提早上床睡覺，是一件罪惡的事，除非是我不舒服。前面我所提到的幾個朋友，也和我有同樣的觀念。

當你開始實行簡化生活運動時，你會發現一種驚人的現象：許多舊有的價值觀，像是新教徒的工作倫理、懶惰是惡魔的專利、今日事今日畢、早起的鳥兒有蟲吃等，已經漸漸地對你沒有影響了。因此，你也開始瞭解：你可以大膽地放鬆自己，甚至什麼事都不做，就算提早上床睡覺，也不再是件罪惡的事了。

66 除了阿司匹靈，什麼都不要留

幾年前，我在隆冬之時，到紐約出差洽公，剛好得了重感冒。我沒有時間去藥局補足我藥箱中的感冒藥，身邊只有阿司匹靈，而我也只能吃阿司匹靈了。感冒只持續了三天，然後漸漸痊癒，接著就完全康復了。

我實在不敢相信這件事。通常，我的感冒都要持續十天到兩個禮拜才會好，而且，我都要吃感冒藥才行。因此，我開始懷疑：我是否忽略了什麼重要的關鍵？我的感冒期會持續這麼久，難道是因爲我吃感冒藥的關係？

下次我又感冒的時候，我故意不吃感冒藥，只吃阿司匹靈，結果，感冒也是兩三天就不見了。

我和一些朋友討論過這件事，他們也開始試著用阿司匹靈來治感冒，效果也都和我的情形一樣好。阿司匹靈除了是止痛劑外，現在也被考慮使用在預防心絞痛、減少特定疾病的危險、降低心臟病患的猝死率、退熱、止痛消炎、預防齒齦

疾病、預防孕婦的高血壓和預防復發性的偏頭痛。

首先，我必須承認，我的這些簡單病史及阿司匹靈產生極大效用的現象，沒有經過正式的科學研究。不過，我很高興看到最近有一篇醫學報告，相當支持我的論點。根據這個報告指出，一羣醫藥專家曾向華盛頓的家庭委員提出：市面上幾乎所有的感冒藥，都含有一種叫「抗組胺劑」的成份，而這種成份不僅沒有效用，反而會危害人體的健康。這羣專家促請美國食品和藥物管理局，儘快發布命令，將「抗組胺劑」從感冒藥中抽出。

最近的另一篇報導指出，美國食品和藥物管理局宣稱：大部分感冒藥的成份，根本沒有治療感冒的效用。

或許，這是你小心使用藥箱的時候了。或者，你可以認真考慮一下，把所有的藥品都丟掉，只留下阿司匹靈。或許你可以丟掉眼藥水、擦耳朵的藥膏、心悸緩和劑、胃乳、通便劑和所有其他藥品，包括醫生開的安眠藥和鎮靜劑，這些藥是全美國人每年要花數十億美元購買的。

如果，你的眼睛充血，不要再使用一些藥劑，那些藥劑充其量，只是暫時緩

和症狀罷了，想想看，是什麼原因讓你的眼睛充血？然後停止做那些導致眼睛充血的事就好了。如果你患有心痛，不要再吃味道太刺激的披薩了，或是遠離壓力太大的工作。

只要我們可以改變自己的生活，無疑地，我們不再需要很多藥品。如果我們的症狀不再出現，當然了，我們的問題也就不存在了。

67 給自己一些戒律

在這裡，我所建議的戒律，最好是在一種規律生活的基礎上，做一些你想做的特別事物，而且你可以帶著喜悅來完成它。

我的一個朋友，她自己定出一種戒律：每天在破曉前的幾分鐘起床，然後泡一杯特製的茶。不管是冬天還是夏天，不管是晴天還是雨天，她都會下床，帶著茶到陽台上去享受美妙的感受。陽台上鋪著毛毯，她輕輕地啜著茶，欣賞著眼前的景色，聆聽黎明的聲音。她從來不讓任何事情，破壞這個寧靜、神聖的時刻。她知道，即使接下來的一整天，是慌張、混亂的，她也會記得這寧靜的一刻。

或許，你是工作太忙了，或是生活步調太快，以致於沒有時間去構築一個完全屬於自己的世界。如果真是如此，你現在可以花一點時間，去思考一下，是否也可以給自己一些愉快的戒律或是儀式，或是給全家人一些特別的聚會，讓大家每天都有很好的回憶。如果可以，那麼，現在就開始規劃吧！

68 學習如何大笑

有關於笑和健康之間的研究，最有影響力的，莫過於納門．可辛的著作《疾病的解剖》中所描述的內容。

可辛先生罹患了一種罕見的連結性組織病變，這種病使他徹底地崩潰了。而目前的醫療科技，根本無法緩和或是治療這種怪病。於是，他決定用笑來治療自己。他躺在床上，儘量多看一些好笑的電影或是書籍，來對抗病魔。結果，這種方法竟然有效，這是非常不可思議的，而傳統的醫學界，對這種現象的瞭解甚至是研究，可以說是少之又少，根本無法解釋。

我們本來可以像小孩一樣，天真自然地笑。但是，隨著生活步調愈來愈緊張，我們似乎都忘了要如何笑，而這種自我娛樂的本能，也離我們愈來愈遠。不過，令人高興的是，笑，就像學騎腳踏車一樣，是有一些簡單技巧可以學的。

我們很幸運地，在社區裡遇見一位國際知名的微笑治療專家，安娜堤．谷赫

博士。她提供了一套令人發笑的錄影帶和錄音帶，而且，她也到世界各地去教課及主持討論、座談會。她教授這類課程，已經超過了十五年的時間，而且，十五年來的每一堂課，都是場場爆滿。

微笑治療課程愈來愈普遍，就像坊間許多才藝補習班一樣，人們可以從中學到許多有益的東西。

另外，你可以找一些讓你大笑的事情，像是找一些你喜歡的幽默作家或喜劇演員、卡通。然後，經常去看或是聽這些書籍、錄影帶、錄音帶，特別是在你壓力很大的時候。或者，你可以挑一些有笑聲的錄音帶來娛樂自己。也許，你有一些朋友常逗你笑，那麼，就安排多一點時間和他們在一起吧！

笑，可以減除壓力、消除緊張以及緩和憤怒的情緒。想像一下，如果你可以用笑來處理壓力，而不是用沮喪、灰心，你的生活該有多麼地愜意自在。

69 學習瑜珈

瑜珈，也是簡化生活的另一種技法，你可以獨自練習，也可以和一個團體一起靜坐冥想。

瑜珈術，在幾百年來一直被人們學習應用著，因爲練習瑜珈術可以增强生命力、減輕疲勞、提高工作效能、集中精神以及得到心靈上的平靜。任何年紀的人都可以學習瑜珈術，它不僅可以强化、調整和改變你的身體，也可以讓你的心靈得到平靜。

很幸運地，我在幾年前就跟隨一位瑜珈師父學習瑜珈術。幾年下來，我不間斷地練習瑜珈，並且從中得到了身體、精神和心理上的許多好處。一旦你有了基礎，你就可以很容易地練下去，讓瑜珈成爲一輩子的運動。如果，你經常發現自己的生活無法持續練習瑜珈，那麼，你也可以簡單地做一些伸展動作，配合正確的呼吸法，同樣可以達到一定的效果。

瑜珈是很容易學的，你可以看書，也可以看錄影帶學習，這些書和錄影帶到處都可以買到。或是，你可以去上課，或是請一位私人老師。

結合瑜珈的運動和呼吸，很自然地，將減緩你紛亂的生活步調。

70 學習靜坐

雖然我很嚮往靜坐的境界，但我始終沒有認真地去投入靜坐。我無法長時間坐著不動，因爲我總是坐不住。但是，現在實行了簡化生活後，靜坐成了我每天必做的功課。許多人都有這樣的美妙經驗：當他們靜坐時，他們感覺到自己的生活也變得單純了。不論你是先簡化生活才去靜坐，還是先靜坐才感到生活簡樸，甚至兩者同時出現，你會發現：靜坐是達到簡單生活境界的最佳方法。

這也不意謂著「學習靜坐」是一件簡單的事，而且，靜坐的效果也不是立即可見的。但是，長時間的靜坐，在心理及生理上都有很大的好處，這是大家都知道的，而且也是被廣爲記載的事。

靜坐，可以給予我們極大的力量，去面對生活中的各種困擾，也可以讓我們的心靈得到平靜。大部分的人也發現，靜坐可以產生更大的能量，讓我們睡得更熟、更沉，更容易集中精神，更可以讓我們得到全面性的幸福感。

市面上有許多指導靜坐的好書和錄影帶，你可以自己去找來練習。學習靜坐，可以讓你更進一步瞭解自己的生活，學習靜坐，也可以幫你看清自己要走的路是什麼。

71 慢速開車

我在年輕時，曾受一位專業賽車手的指導。不過，這件事和我經常開快車沒有關係。不過，我學到了一個重要觀念：當我以高速行駛時，路上的每一個人，不管是走路或是開車的，對我來講，也都是在快速移動著，稍有不慎，很容易就發生意外。在我瞭解這個事實之前，我已經實行簡化生活好幾年了。每當我放慢生活步調時，卻仍然認爲自己還在上賽車課程，快速地開著車子。

我決定改變開車的習慣。我開始懂得把車開得慢一點，這麼做，讓我得到一種全新的開車樂趣。現在，我可以坐在駕駛座上，去多看、多聽和多感受一些以前忽略的東西。而且，我對別人也比較有耐心了，如此，也減輕了我開車的壓力。有趣的是，我減速開車後，反而多了許多時間讓我思考、反應和享受生活。

當你減緩你的開車速度時，你就會瞭解：爲什麼搶先在你前面的車，總是比你慢到達目的地了。

第六篇　你的個人生活

72 整頓你的人際關係

要創造一個簡單的生活，通常是不簡單的。有些事項，像是拒絕垃圾信件，或是除了阿司匹靈外，丟掉所有的藥品等，這些是比較容易達成的。其他的，像是搬到一個小房子或整頓你的人際關係，這些事就必然會花比較多的時間，而且困難度也提高了許多。

我曾經提到一些不健康，而且會帶來壓力和痛苦的婚姻和人際關係，如果你正好面臨這種關係，想改善而又力有未逮，那麼，就丟掉這種關係吧！如果，你自己無法下決心去做，試著尋找一些幫助吧！像是找心理醫師聊聊，或是參加一些成長或是互助團體，他們會幫助你找回快樂和幸福。如果你找不到這種團體，你可以自己組織一個，定期聚會，解決一些簡單的問題，然後彼此互助，促進個人成長；如此，也可以促使你堅定地拋棄那些沒有益處的人際關係。

整頓人際關係，也可以運用到朋友身上。或許，現在也是你清理掉那些損友

的時候了。結束一段友情，不像結束一段婚姻般，需要嚴肅地對質或是議論。有時候，一個人要從另一個人的生活中淡出，是一件很容易的事。

當你想通了，你會覺得要結束一些有害的人際關係，是不難的。真正困難的是下決心的時刻。如果你要簡化你的生活，我相信，結束這些無益的人際關係，是最快速，而且是最重要的關鍵。

73 做自己的主人

你是否曾停下緊張的生活步伐來想一想：為別人而活，要浪費你多少精力？要讓你的生活複雜多少倍呢？事實上，我們都是為別人而活，這是人性的一部分，這也是八〇年代工商社會的主要部分。

如果，你可以坐下來，仔細檢視生活中的每一部分，然後判斷一下：讓你成為自己的主人，生活又會有什麼不同呢？我想，這會是一件非常有意義的事。如果你成為自己的主人，你會有不同的人生嗎？你會住什麼樣的房子？你會開什麼樣的車？你的穿著又會是什麼樣的？你如何打發自己的時間？你還會和同一個人結婚嗎？你會結交同樣的朋友嗎？

通常我們不會為了自己，而去扮演各種虛偽的角色，大部分都是為了別人的需要。我們數不清到底有多少次是對自己不忠實的，這些都是因為家庭的壓力、朋友的需要和孩子的請求而造成的。如果你的生活型態，是為了反映別人的想法

而存在，請試著想一想：如果你可以丟掉這些虛僞的假面具，爲自己而活，那該是一件多愜意和單純的事啊！

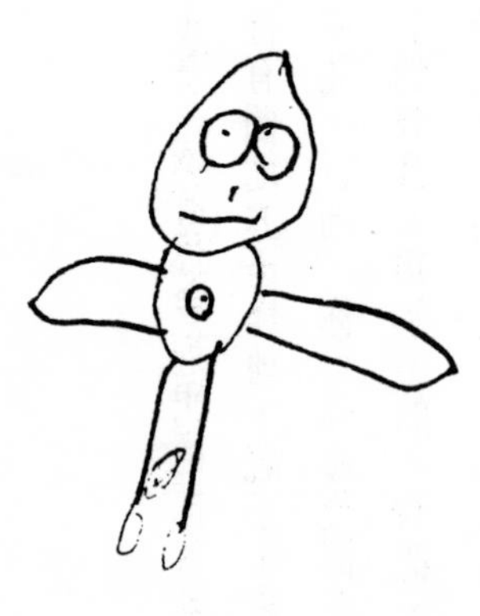

74 相信你的直覺

你是否曾發現自己有一種莫名的不安？或許你會列出種種合理的理由，告訴自己目前沒有什麼不對，但你就是覺得有個地方怪怪地，說不出來。如果，你相信你的直覺，日後可能會因此而笑顏逐開，否則，你可能會後悔莫及。

在我們內心深處都有一種寂然、微弱的聲音。很不幸的，我們一直都陷入繁忙的生活步調中，以至於忘了傾聽這個聲音。

幾年前，當我面臨一個重要抉擇時，我在紙上列出所有相關的事項，然後根據這些做決定，通常，我都是依照這種邏輯思考來做決定的。不過，有許多時候，邏輯是沒有效用的。當我減緩生活步調時，我所學到的一件事是：如果我能聆聽我的直覺，我就不需要大費周章去列一張表了，我就是知道該怎麼做。

我有一個朋友，他無法決定要上A課程或是B課程，事實上，他可以隨便選一個，這對另一個課程沒有什麼關聯。不過，他還是聆聽了心中那個微弱的聲

音，做出了決定，不管他對這個決定是否喜歡，他就照做了。後來，他把這種直覺思考法，當成他教孩子的重點之一，這也使得他們在很早的時候，就開始相信直覺。

整頓你的生活（第1法），學習拒絕別人（第84法），一個月讓自己獨處一天（第77法），每年旅行一次（第79法），還有這本書提供的許多方法，都有助於你放慢生活步調，也能幫你探觸內在的聲音。學著傾聽你的直覺吧！它將讓你的生活保持一個自然的平衡。

75 萬事不强求

簡化生活的許多有效方法中，有一項是我最後才領悟出來的，那就是：萬事不强求。如果有些事是難以達成的，放棄它會比較好過一點。

我們從小就被灌輸一些錯誤的觀念，如果有些事情是不可能做到的，像是一些生意上的事務、人際關係或是任何需要努力的事，我們都被教導著必須加倍努力，因爲，總有一天會完成的。數以百萬的人，就是抱持著這種信念，而陷入一種艱苦的生活中，而且，產生了許多原可避免的痛苦。很顯然的，在合理情況下努力工作，以達成令人滿意的結果，和拚命做那些永遠也不可能實現的事，是不可以相提並論的。

你無法把一個方形的木椿打入圓形的洞裡。而人們卻要我們做這種不合理的事，説穿了，這只是要激勵我們去做某些事罷了，像是要激勵我們工作一段很長的時間，即使是不對的事，或者需要付出很大代價的事，都在所不辭。當我回顧

我的人生，我可以發現一個事實：許多可以解決的事，大部分的情況來說，相對的會覺得比較容易；而許多根本就無法解決的事，大部分的情況下，是會讓人覺得困難的。這兩者是不一樣的。我終於領悟到，如果有些事做了也是白做，我寧可轉移精力，去做別的事。

如果你可以拋掉生活中的那些難事——那些永遠也無法解決的難事，然後把時間、精力用在一些簡單的事情上，你的生活必然會自在得多。

76 放棄改變別人的想法

我有一個好朋友，她幾年來一直處於混亂的生活狀態下，她一直試著要逃出這種枷鎖，事實上，她並沒有像我這樣努力地去改變自己。過去幾年來，我花了許多時間和精力，試著要讓她自己成長。她的問題關鍵在於她始終只是講一講罷了，並沒有認真地行動，她甚至對這些事一點興趣也沒有。

自從我實行簡化生活後，有一件事可以讓我更清閒自在，那就是：讓別人做他們自己想做的事。一旦瞭解了這個事實之後，我比較容易去拿捏一些取捨的底線，當有事發生時，我不會想要去改變別人的想法。別人要改變自己，通常他們必須在做好準備之後，才會有所改變。終究，我們都必須走出自己的困境。事實上，每個人真正需要的是支持和鼓勵，不管是孩子還是配偶。

現在我才領悟這個道理。天啊！我終於解脫了，我終於可以釋放這些被困住的精力，用在享受生活和更有意義的目的上了。

77 每個月讓自己獨處一天

如果你大部分的時間都是獨處，或者你的生活已經有了充分的改變，不再承受很大的壓力，生活也不再複雜，那麼你的獨處時間應該是足夠了。

如果，你的生活塞滿了家人、朋友、交通、噪音、生活需求、壓力、工作期限、計劃和無數的人們，你最好考慮一下，每個月找一個週末，完全讓自己遠離這些煩人的生活瑣事。

找一天讓自己獨處，不是什麼事都不能做，你可以單獨去爬山，或是一個人靜靜地坐在公園的長椅上。或者，你可以花一天的時間去逛博物館、美術館，或是到社區的圖書館去瀏覽一番。獨處，不見得要遠離人羣，你只要遠離那些你認識的人，那些會干擾你生活的人就好了。

花一點時間遠離生活中必須要面對的壓力，可以讓自我回歸到原點，探觸到真實的生活面，而且，也有助於我們放鬆每天緊繃的神經。畢竟，從現代繁忙的

生活壓力中解脫出來，是簡化生活最重要的部分之一。

提示：如果你的生活型態無法讓你有獨處的機會，你可以和你的另一半或是家人溝通，向他們說明你的計劃和需要。對你親近的人來說，這種諒解是非常重要的，有了他們的諒解和支持，你就可達成獨處的需求了。

78 教導孩子享受獨處的樂趣

任何一個有小孩的人都知道，在現今這個社會中，照顧孩子的壓力是愈來愈大了。酒精、各式各樣的毒品、性、愛滋病、幫派、槍支泛濫和暴力，這還不包括那些無聊電視中傳來震耳欲聾的各種感官刺激、狂亂激烈的電影、搖滾樂、繞舌歌的歌者、咖啡屋、電腦遊戲和錄影帶商店街。一個小孩子如何在這種環境中得到心靈的平靜?小孩子如何在這種環境中探觸自己的情感?如何在這種環境中發現:什麼東西對他才是最重要的?

在這裡，有一個方法，可以讓孩子在早期的時候，就學習到如何擁有安寧的自我。那就是，當你學習獨處時，你也可以教孩子做同樣的事。帶孩子們去郊外旅行或是露營，遠離都市的塵囂，讓孩子們認真地看炫麗的夕陽美景。

或者，教孩子們如何一個人在家度過安靜的下午。讓他們習慣於每個禮拜撥出一天來，遠離那些夥伴的影響，和遠離有如地獄般誘人的電子時代。讓一些好

書來强化他們的心靈，教孩子們做一些思考性的靜坐運動，好讓孩子們可以養成檢視自我的習慣，聆聽內在的聲音。

當你的孩子從獨處中得到樂趣，這將是陪伴他們一生的好禮物。想像一下，當你的孩子們樂於學習獨處，也認同你的獨處需求時，你的生活將會多麼簡單自在。

79 每年度假一次

如果你很難規劃出一個固定的時間來獨處，考慮一下每年出去度假一次。讓自己傾聽心靈的聲音，是一件再好不過的事，找個三天或四天讓自己遠離世俗，不僅是遠離物質上的紛亂，也要遠離情緒上、心理上和社交上的紛擾。

每年旅行一次來洗滌自己，是非常容易做的事。你不需要加入任何一個宗教團體，到一些溫泉或是休閒遊樂飯店去度假，就可以獲得很大的效果。事實上，要拋開你的世俗生活，不需要大筆的費用。讓自己清新舒暢的度假方法之一，像我最近才做過的，就是到山上露營。這是一種接近大自然和自己心靈的好機會。當你在露營的幾天中，放眼看去都是自然和寧靜的美景，這是多麼令人驚嘆的美事啊！

除此之外，還有許多小型且精緻的鄉村木屋，可以提供簡單、舒適的設備，讓你以合理的花費度過三到四個晚上的假期。

80 保持旅行的習慣

旅行，也是可以讓你找到自我的有效方法之一。

旅行的形態可以根據你的需要，設計成比較隨興或是有計劃性的緊凑行程。你可以按照自己的意願，到處去漫步瀏覽；也可以有一個正式的規劃，讓你每天都有新的發現和感受，好讓自己的心靈成長。你可以按照你每天排定的計劃旅行，也可以依照一個模式或是根據自己的興緻，隨興地且看且走。你可以有一個夢幻式的旅行、一個理想的旅行、一個減肥的旅行、一個有創意的旅行、一個興奮的旅行或是一個健身的旅行。你可以和其他人一起分享你的想法，你也可以爲自己量身訂做一個私人的旅行。

許多社區大學和成人教育機構，都提供了旅行寫作的課程。加入這類課程可以讓你與其他有志於此的人士有共事的機會，也可以彼此分享一些新的想法和不同的經驗，這些想法和經驗對你必然是有幫助的。

或者，你可以在旅行當中，拿起筆和筆記本，規劃出屬於你自己的旅行寫作系統，這可以幫助你掌握那些你真正覺得重要的事。

81 一次只做一件事

我們都很熟悉一個畫面：一個現代美國人，開著他的BMW轎車在高速公路上奔馳，同時又講著行動電話和拉著從辦公室傳來的汽車傳真緊急文件。在這個同時，他又和坐在前座的業務執行人員，進行一項大生意的討論，好讓他可以跨越市區，在客戶的業務簡報會議上準時出席。

或許，這個年輕的業務執行人員，在週末時可以和家人一起在電視前，有個輕鬆的生活。不過，她卻要一邊換尿布一邊和老闆講長途電話，而讓她的婆婆在電話線上等著。當她掛下電話後，她又要陪她三歲的小孩玩釣魚遊戲，好讓孩子趕快吃完點心，因爲接著將有十個客人，要來家裡邊吃晚餐邊談公事，而這個商業會議也是由她爲丈夫主持的。

我們都知道自己的這種「什麼事都做」的瘋狂舉動，已經充塞了我們的生活。難道我們真的要同時做所有的事，才算是有效率嗎？或許吧！但是，這些事

都真的那麼重要嗎？我想不一定。我們對這種狂亂的生活感到快樂嗎？答案必然是否定的。我們可以做一些改善嗎？是的。既然我們可以學著一次做十種事，我們也可以學習如何一次只做一件事。

你可以從列一張清單開始，但我不是叫你列出每天必做的事項，而是列出今天非做不可的重要事項。你可以把原先每天要做的事項，削減一半以上，然後挑出最重要的事項來做。但是，你必須照著表上的順序，一樣一樣來，一次只做一件事。盡可能不要分心，也不要中斷。這樣做了幾個禮拜後，評估一下，是否可以再削減一半的「每天必做事項」。

隨著自我檢查和約束，你一定可以達到一次只做一件事的目標，而且會做得更好，當然了，也做得更快樂了。

82 什麼事也不做

什麼事也不做，聽起來很容易，然而，我回想幾年來的混亂生活，在我實行簡化生活之前，我每天從早到晚，有做不完的事和永不止息的會談和電話。我每天的每個時刻，都已經排滿了預定事項，即使是我的睡覺時間也是，天哪！我記得我要花很長的時間，才能排出一個什麼事都不做的時刻，什麼事也不做，聽起來似乎不是那麼簡單。

如果你沒有這種什麼事都不做的時間，你該從何開始？你可以先從一個小時開始，像是從午餐時間開始，或者從每天下班後的一個小時開始，或者你可以從每天提早一個小時起床開始。

如果你要從午餐時間開始，你最好找一個安靜的地方。那個地方最好不要有書報和想說話的朋友，這不是叫你沉思冥想，只是讓你不做任何事，不管你腦子裡想到什麼東西，你就是坐著，什麼事都不要做。

另一個培養你什麼事都不做的好方法，就是待在家裡或是辦公室，即使你身邊圍繞著許多該做的事，也不要去做。如果你以前沒有這種想法，你可能會被一些罪惡感和不可控制的衝動，逼著去做一些事。

漸漸地，你可以增加什麼事都不做的時間，如果可以，你可以讓自己在每個月裡，至少有半天或是一整天什麼事都不做。當你養成了這個習慣，你會驚訝地發現，你的生活竟然變得如此清朗明快，即使是在做任何一件工作，也都覺得如此。什麼事都不做，的確有這種不可思議的淨化效果。

現在，我每個月至少有一天到兩天的時間，讓自己什麼事都不做。很快的，我就脫離了混亂和整天瞎忙的生活。我勸你趕快開始試試看，讓自己什麼事都不做。

83 找個時間看夕陽

黃昏一直是我一天中最喜歡的時刻。在我簡化生活之前，我經常忙得沒有時間去欣賞夕陽。現在，我過著簡單的生活後，幾乎天天要欣賞這地球上最特殊最美的景觀。

夕陽有種炫惑人的魔力，特別是當天氣或是大氣有所變化時，更會促使夕陽揮灑出戲劇性和絢麗的色彩，而這些色彩是世上少有的。當我看到夕陽的光輝，感覺上似乎生活中所有的煩惱，都顯得不那麼重要了，即使只看了幾分鐘也是如此。

夕陽最令人驚奇的地方，也是不變的地方，就是它每天都會出現。即使有時候夕陽看起來不是那麼壯觀，它也代表著一天結束的來臨，這是人們應該駐足觀賞的偉大時刻。教你的孩子一起來欣賞日出和夕陽之美，這不需要花費，而且觀賞這種美景，要比看電視好太多了。

84 學著說「不」！

當我決定要簡化生活時，我曾經給自己一個承諾，那就是減少對別人的承諾，包括我的家人和朋友。最後，我做到了，如果有人要求我去做一些我不喜歡做的事，或是要我花一個晚上的時間和一些不投機的人在一起，我會斷然地說：不！謝謝你，但我就是不答應。

我從禮拜一到禮拜五的大部分時間，都花在工作上，除此之外，我還有許多雜事和家務要做。但是，晚上和週末的時間是屬於我的，這些時間是不可侵犯的，不能答應去做那些我不想做的事，特別是那些我一直以爲我必須做的，現在，我儘量不讓這些雜事干擾我的私人時間。

如果你無法說出：「不！」七〇年代有一本暢銷書《我拒絕！我有罪惡感》，書中強調：你可以用一些言詞上的技巧，來減少你的承諾，讓你可以擁有自己的時間。因此，你不妨在言詞上多下工夫試試看，或許會有效果。

85 如果無法拒絕，就用話搪塞吧！

你是否發現經常陷入社交的陷阱中，尤其是社交場合中的女主人邀請你時？事實上，你是真的不想出席的，只是你沒有別的約會，而且又沒有正當的理由罷了。這些事經常發生在我們身上。

我有一個朋友，她好幾年來都不敢拒絕別人。莎莉是一個健朗有活力的女人，她闖出了一個成功的事業，而且，很能幹地領導二十個員工，處理事務果斷有魄力，可以和其他合夥人平起平坐。但是，一旦她進入自己的社交生活，她便很容易被別人牽著鼻子走。她知道自己的缺點，但是她就是不能拒絕人家的好意。

然而，她發現最近在參加一個晚宴前，一直感到忐忑不安。因爲她知道待會兒瑪莎打電話來邀請她時，如果她可以編出一個合理的說法，她就可以舒服地躺在沙發上，看著一本好書。她當時就下定決心如此做，結果她成功了。

因此，她終於懂得搪塞的技巧了。她列出一張可當作搪塞理由的清單，然後放在家裡和辦公室的電話旁。現在，當有人打電話邀請她出席那些她不喜歡的聚會，她的清單就派上用場了。接著，她更進一步，把一些搪塞的藉口隨時掛在口邊，避開一些在街上或是超級市場結帳處遇到的熟識朋友。當她喜歡和某人相處時，她才會稍微調整自己的說詞。她再也不用浪費自己的時間去陪別人了，除非是她自願的。

她最常用，也是最好的一個說詞是：「謝謝！瑪莎！但是我禮拜六晚上已經有約了。」而且，她也瞭解不能後面再加一句：「或許下次吧！」因爲她知道像瑪莎這種人，一定會把她的話當真的。

毫無疑問的，她的社交生活是快速地縮小了，但是，她也因此有了更多的時間，去做一些她真正想做的事了。

86 離開那些讓你害怕的團體

當吉伯斯開始接受任何邀請他的團體，而且讓這些團體在他人生中佔一席之地時，我從未加入過任何一個團體。當我們開始實行簡化生活時，他的改變之一，就是離開這些團體，因爲，他覺得他的心已不在這些團體中。

通常，只要你一不小心，一大堆會員資格和伴隨而來的義務及罪惡感，就會很快地套在你身上，這真是一種令人訝異的現象。光是財務上的消耗，像是無止盡的會費和稅額，還有被無聊演講搞砸的廉價晚餐。接著，團體中缺乏組織性的秩序，加上一堆狂熱的門外漢在瞎搞，只帶來了沮喪和挫折感；或是自甘墮落地和其他會員聊天，結果發現對方的生活圈和視野是那麼地狹小，都造成了情緒和心理上很大的傷害。

在這裡，吉伯斯有個離開這些團體的方法。拿出你所有的會員卡，相信有一大部分你都是被唬進去的。把會員卡疊成兩堆，根據下列三個標準，把至少合乎

兩個標準的卡疊成一堆：

⑴專業上必須參加的團體。

⑵你很渴望出席的團體聚會。

⑶你從不後悔加入會員的團體。

然後，把另外一堆不合標準的會員卡，全部退掉。如果你自己不好意思退除，就讓會員的有效期過期吧！你會發現又收回很多屬於自己的時間了。

87 試著重新詮釋你的過去

你是否曾發現：自己想抹掉過去一些難堪的事情或是情境？而這些不愉快的記憶，是你一直無法釋懷的。這些記憶有可能是任何事，從你工作上和同事的口角，到婚姻的解除這種大事，都有可能成爲你的傷痛記憶。這些事或許是發生在幾年前，或許是發生在昨天而已。你會一直想著這些事，悔不當初，而這些不愉快的回憶，也總是不停地騷擾你，除了飽受折磨外，這些回憶對你一點幫助也沒有。

當我放慢生活步伐時，我可以做到的一件事就是：停止抹殺過去。我漸漸地瞭解：當你真正領悟一些事後，你會覺得你没有錯；你也没有作錯決定。我慢慢能夠進一步詮釋我生活中的所有事件，不管這些事是好的，或是壞的；到了最後，總是會有一個有力的情境出現，不管是否爲暫時性的因素，這個情境將會引導我走向我該走的方向。

不停地抹殺過去的事件，只會讓你的生活更加複雜。重新詮釋這些回憶，可以積極地幫助你面對未來，而且，讓你保持一個簡單的生活。

88 改變你的期望

一九八〇年代發展出一些不切實際的目標和期望，讓我們都陷入這種潮流中，而且一直左右著我們的生活。因此，有些事或生活型態就被視爲是理所當然的，像是我們必須爲了買大房子而拚命工作；必須開速度更快的車子；有一份更好的工作；付得起更貴的帳單；對未來有更多的期望；擁有更幸福的婚姻；更有條理地主持家務；擁有最聰明的小孩，還要把孩子們送去最好的學校；趕上最時髦的流行；擁有太空時代的各種精密器具和玩具，只要是能用錢買到的，全部都要買下來。這種追求是永無止盡的，人們一天比一天地努力工作，卻發現一直達不到自己的所有期望。事實上，許多人的期望太高了，這些過高的期望，並不能爲他們帶來快樂。

我們有一個熟識的朋友，他有一大堆的期望。他要住大房子、開大車、擁有俱樂部會員證和一個高效率的生涯，但是，他都失望了。他不喜歡他的生活型

他目前擁有的這個工作，是唯一可以實現他所嚮往的生活型態，但是他無法拋棄這種生活，因爲他目前擁有的這個工作，是唯一可以實現他要住大房子、開高級車和高級生活型態的可能，而這些期望是他認爲應該有的。

我的簡化生活運動中，有許多地方是和改變期望有關的。對我和吉伯斯以及大部分的人而言，強調「大」及「高級」的生活型態，並不適合我們的需求。當我們搬到市郊時，我們可以脫離每天花四小時通勤上班的夢魘，當然了，我們也必須改變我們對生涯目標的期望。當時，我們也曾懷疑，我們爲了節省這四個小時，而降低生活享受值得嗎？後來，我們發現每天多出四個小時，反而能提高我們的生活品質，而這種品質是追求高級生活的享受，所無法取代的。當我們轉變生活型態，我們的生涯觀念也跟著改變，雖然和原先的期望迥異其趣，但是，現在的我們反而更容易滿足。

如果你覺得無法達成自己所有的期望，或者你已經達到了期望，而還是不快樂，或許，你應該覺醒了，需求太多的生活是不適合你的。一九八〇年代的價值觀只會讓你的生活更複雜，拋掉這些觀念吧！建立起一個屬於自己的生活，如此你才能活得更單純。

89 檢視你的生活，讓生活保持單純

想要保持一個單純的生活，必須隨時提高警覺地檢視自己的生活。如果你認為實行了簡化生活運動後，就能自然地一直保持下去，這是一個不切實際的想法。首先，我們的習慣是長久累積起來的，這些習慣是不容易改的。再者，我們的文化沒有教導我們如何追求簡單的生活。我們一直被周圍的事物洗腦，像是媒體所傳播出來的訊息，還有家人、朋友和鄰居們，都在促使我們去買最新產品或是玩具，把我們推向緊張繁忙的生活。這些訊息，大部分我們是無法抵擋的，有些是有效的，而有些則是沒有意義的，這要看你怎麼選擇。

我們有一些朋友，他們決心要簡化飲食習慣。他們都是美食專家及烹飪專家，家裡擁有設備齊全的烹飪器具。當他們要清理廚房時，才發現必須丟棄一大堆東西，像是製酒機、電動壓餅器、各種尺寸的食物攪拌器等。他們花了幾個月的時間來清理，最後，終於可以擺脫像廚具商品型錄上那麼多的廚具，重新有了

自由的喜悅。

然而，在他們發現自己的習慣之前，他們又把原來那些烹飪器具搬回廚房了。改變習慣很簡單？不盡然！只要你不小心，你的舊習慣會全部跑回來。

達斯汀・霍夫曼曾在一部電影中扮演一個演員的角色，他爲了要爭取一個演出的機會，必須男扮女裝。他跑到商店裡去張羅裝扮女人所需的東西，像是假髮、捲髮器、化妝品、指甲油、珠寶、鞋子、皮包等。當他回到家，把假髮戴上，化好妝時，他才向室友抱怨，說他從來不知道女人要花這麼多時間和精力去化妝，好讓自己看起來是有魅力的。天啊！事實不就是如此嗎？

毫無疑問的，在我們的文化中，女人是要付出高成本來維持門面的。我下定決心，不再爲了妝扮自己而浪費太多的心力。在這裡，我提出了一些讓女人可以輕鬆妝扮自己的建議，而且，特別把這些建議集結成一個章節。而大部分的男人，早就沒有這種煩惱，因此，這個章節主要是給女人看的。

第七篇　對婦女的叮嚀

90 十分鐘讓妳妝扮完畢

我經常覺得訝異，爲什麼我的丈夫可以在短短不到半小時內，就穿好衣服，而且整理、修飾得非常好？而要我在同樣的時間內做同樣的事，我是辦不到的。我們開始實行簡化生活後，我給了自己一個目標，那就是在十分鐘內妝扮完畢。我很容易地就把妝扮的時間控制在十分鐘內，但是，許多簡化妝扮的細節，我仍未克服。

首先，從整理髮型開始。對大部分的女人來說，妝扮時最浪費時間的，就是整理髮型。我們一直被洗腦著：光是用洗髮精洗頭髮是不夠的。除了一般洗髮精外，還要有特別配方的、含潤絲精的、多泡沫的，洗完後還要吹乾、拉直、整理或是捲髮，而且，在出門前還要噴一噴定型液才行。

男人們本身就有一個固定髮型，當他們洗完頭髮後，吹乾梳一梳就可以出門了。女人卻無法做到這一點。幾年前，一位髮型設計師告訴我，每個女人至少都

有一種基本髮型，這種基本髮型不必花費很大的功夫，而且可以讓自己看起來非常迷人，再者，也可以和自己的臉型搭配得很好。我做了很多試驗，最後，我終於找出適合自己的基本髮型。現在，我不用花二十～三十分鐘去洗頭髮和整理頭髮，我只要花個五～六分鐘，就可以準備出門了。

第二，我改變了我的護膚習慣。這幾年來，我只要一經過美容專櫃，就必須爲我的敏感皮膚買一大堆護膚品，像是白天和夜間用的清潔滋潤霜和毛細孔清潔霜、保護皮膚和消除灰塵的各種用品等。很幸運地，最近我所有的護膚用品用完後，就沒有繼續使用了。接著，我洗臉時只用一塊海綿、水和天然的乳液而已。像以前那種大費周章的護膚作法，在使用三個禮拜後，我的皮膚看起來也沒有比較好。

現在，我除了用海綿和水洗臉外，我還加一點滋潤霜。我實在是無法告訴妳，這麼做是多麼地輕鬆容易。這種作法，不僅是簡單省事且非常有效，也可以讓妳丟掉那些只用半瓶，又放了好幾年的粘糊護膚品，再者，也可以讓妳的抽屜和梳妝枱不再那麼擁擠混亂了。

另外，妳可以想一想自己的化妝品，在使用上是不是有什麼可以簡化的。妳曾經看過任何一種人工化妝品，可以讓人的臉化起妝來，像是沒有化妝那樣的好看和健康嗎？問一問妳生命中的男人吧！大部分的男人一定會說，他寧願女人展現原來、自然的臉蛋和笑容。

當妳做到了這一點，不要忘了讓妳的女兒也展現出自然的笑容。想像一下，如果妳可以脫離那些誘惑人的美容用品，妳將可以節省一大筆錢，而且建立起自己的信心。

妳也必須改變你的期望，來保持一個低成本的妝扮方式，而且，一旦妳做到了，妳一定會爲過去那種大費周章的愚蠢行爲感到遺憾的。

91 丟掉妳的高跟鞋

在所有的流行事物中，沒有比高跟鞋那麼普遍地限制和傷害女性了。任何一個足科醫生都會告訴妳：經常穿高跟鞋的女性，不僅會讓腳變形、得腳內側炎和長腳繭，還會導致更多的疾病，像是小腿、膝蓋和背部方面的疾病。但是，女性仍然繼續穿高跟鞋，而這種流行永不退潮。

現代的女性應該是比較幸運的，因爲現今的生活型態容許女性有一些私人的空間，也允許女性穿低跟鞋或是平底鞋來代表流行，不是嗎？沒錯！大部分的男人都認爲女性穿高跟鞋會比較性感，這是個事實，而這也畢竟是女性不惜受苦去穿高跟鞋的原因。不過，如果妳真的想要過簡單的生活，而妳身邊的男人又一直覺得穿高跟鞋的女性比較迷人，使得妳不得不穿高跟鞋，那麼，這是妳和那些男人說再見的時候了。

穿高跟鞋除了走路不方便外，收拾高跟鞋，也會讓妳的衣櫃變得更複雜。妳

可以想像一下，如果妳的鞋子的鞋跟高度都是一樣的話，妳在收拾這些鞋子時，該有多麼方便啊！而男人不管有多少的鞋，都可以搭配任何套裝和休閒裝，他都不用去管褲管的長度。事實上，這也是男人的衣櫃比女人來得單純的重要原因之一。

在妳不穿高跟鞋一陣子之後，妳會覺得世上最可悲的，莫過於那些在街上，穿著高跟鞋裝模作樣走路的女性了。而且，妳也將知道，即使那些穿高跟鞋的女性當時沒有傷害到腳，不過，她們很快就要嚐到苦頭了。

92 拿下妳的假指甲，丟掉指甲油

一九八〇年代的妝扮模式中，最浪費時間及最複雜的一部分，就是擦上那閃亮多彩的指甲油以及戴假指甲。當妳靜下心來思考這件事的時候，妳一定想像不到，我們平常熱衷於使用的化妝品，不僅浪費了我們大量的金錢，而且產生的毒氣，對指甲和人體都造成了潛在性的傷害。再者，化妝品也對環境造成了莫大的傷害，尤其是那些指甲油和假指甲。

很顯然地，每個禮拜要花幾個小時把指尖塗上一層又一層化學原料的人，是不適合過簡單生活的。感謝上帝啊！我的惡夢已經遠離了。如果，妳也像以前的我一樣，或是像數百萬的女人一樣，一直耽溺於這種粗野、炫麗的行爲，或許妳也應該試著去欣賞指甲原有的自然樸素、修剪整齊和未塗油料的美感了。

想像一下，妳再也不需要每次塗完指甲油後，必須一再重複地扯下指甲上化學材料的那種情景，這是多麼令人自在的事啊！

93 不要帶大型的皮包

如果妳想簡化自己的時髦妝扮，妳應該選一個最不起眼和樸素的皮包。當然了，最好是不要帶皮包。

如果，妳認為有帶皮包的必要，那麼，妳最好選一個尺寸最小有肩帶的皮包，這樣妳的雙手才可做別的事。最好的尺寸，是剛好可以放身份證、一些現金和口紅就可以了。難道妳平時上下班或晚上出去，皮包裡還需要別的東西嗎？其他妳認為非帶不可的東西，妳可以放在車上的置物箱或是辦公桌的抽屜裡。

當然了，在妳簡化過的衣櫃裡，應該有一些附有口袋的便裝、裙子和夾克。當妳外出時，妳就可以把一些現金和口紅放在口袋了。如果，妳從來沒有那種擺脫大皮包或是手提包的經驗，而且，妳也常抱怨皮包裡面都是放一些妳不需要或是很少用到的東西，再者，不論穿什麼款式的衣服，也都會被大皮包破壞美感；那麼，現在是妳丟掉大皮包，重新獲得解脫的最好時刻了。

94 儘量縮減妳的配件

如果說，有一樣多變化的東西，可以烘托或破壞女人的時髦美感的話，那麼這種東西就是配件或是飾品了。同樣的，男人在這方面要比女人輕鬆多了。男人通常要煩惱的只是領帶而已，或許還有領帶夾、手錶、公事包和鞋子等，但是，即使要煩惱這麼多東西，他們所用的也都是同一種顏色和款式，不需要再添任何配件和飾件了。而女人就不同了，她們要打理耳環、項鍊、手鐲、別針、手錶、領巾、領結、腰帶、眼鏡、手提包、公事包等，通常還要配一頂帽子、長襪和各種不同款式、顏色、高度的鞋子。

因爲女人的配件實在是多得難以計數，而且要把這麼多配件組合得很漂亮，也是一件藝術，不是每個女人都能做到的，因此，大部分的女人都有在選擇配件上的困擾，尤其是選擇鞋子和皮包上。你曾經看過搭配錯誤的鞋子，會讓人表現出驚人的美感嗎？或者一個和其他妝扮完全不搭調的手提包，會讓人覺得好看

嗎?事實上，一些高級名牌生產的皮包，是最難搭配的，這些名牌也很少被帶著到處跑。

最正統的流行物品，而且經得起長時間考驗的，通常都是那些最簡單、樸素的。丟掉妳的手提包，然後再丟掉妳的高跟鞋，這會使妳的外表擁有經得起考驗的樸素美感。削減妳的珠寶，只留下一組簡單、高雅的耳環，然後丟掉剩下的大部分配件，這也會使妳簡化生活的工作，更加得心應手。

第八篇　簡化生活的物質需求

95 寧可租房子，不要買房子

過去這五十年來，我們一直被洗腦著去相信一件事：一定要買個屬於自己的房子。在最近一項調查報告中指出，八十七%的受調查者表示，購買一棟屬於自己的房子，是他們完成「美國式幸福夢」的一個重要條件。擁有一棟房子，要比擁有一個幸福婚姻、有興趣的工作、高收入和大筆財產來得重要。

在今天，要擁有一棟房子，需要付出很高的成本；或許我們應該反省一下這種「房子至上」的價值觀了。

我們有一位朋友，像我們一樣，他們最近也在生活中做了許多重要改變。他們賣掉房子，捨棄車子和大部分的家具、用品，辭掉他們的工作，花了兩年的時間去環遊全世界。他們把賣掉房子的所得，用來獲取一些利息收入，以維持他們大幅降低水準的生活型態。

當他們從旅行中回來，他們起初考慮再買一間小一點的房子，不過，他們最

後決定去租一間公寓。這麼做不僅讓他們減少許多開支，他們也脫離了有家產的負擔。當他們再想去旅行時，就不用辛苦地找買主買房子了。

但是，不再擁有房子後，最讓他們感到訝異的，莫過於情緒和心理上的一種極大解脫感。反觀過去這麼多年來，他們一直相信要擁有房子，擁有了房子後反而形成一種極大的負擔，而不是安全感。如果你的房子，帶給你在時間、精力和金錢上的極大負擔，考慮一下去租個房子，這麼做，將讓你的生活更單純。

96 不要開車

我們有一對夫婦朋友，他們住在舊金山。幾年前他們賣掉了車子，因爲車子爲他們帶來太多的麻煩。在舊金山這樣的城市中開車，停車永遠是一個麻煩，而且要花費很大的費用。事實上，他們也不是真的需要一輛車，他們的住家離辦公室很近，因此，他們兩個都是走路去上班。他們都喜歡在清晨新鮮的空氣中散步去上班。他們也慶幸不用捲入大城市的複雜交通狀況中，就算有時候天氣狀況很差，他們也可以搭公車上班。

現在，他們寧可在住家附近購物，也不願跑遍整個城市去購物。他們省下的汽油錢、停車費、保險、稅金、登記費和保養費，足夠他們去租一輛車，在週末時到城外辦事去了。在心理作用上需要依賴車子的幾年後，他們賣掉實際上用不到的車子，他們心中有一種極大的解脫感，再也不必爲了擁有一輛車去擔心各種麻煩了。現在，他們雖然不能享受車子帶給他們的便利，不過，他們也不必再花

時間去到處無意義地閒逛，他們有更多的時間做自己想做的事了。

當然，如果你住在郊外，而在城市上班，而且大衆交通工具不健全時，要你放棄車子，你可能無法有太大的美妙感受。但是，如果你可以重新安排你的生活，讓你不需要車子，那麼，你的生活將會更單純。

97 捨棄你的電話

當我還是青少年時，我很喜歡電話。因爲，當電話鈴聲響時，都帶來了一些期待。當我長大時，我卻認爲電話是一個不受歡迎的必需品。然而，現在我已經可以對電話鈴聲充耳不聞了，而且，我都用電話答錄機來過濾電話，畢竟，在家裡有了電話是一件麻煩的事。但是，我有一個朋友，她認爲電話對她的生活造成很大的干擾，因此，她有好幾年的時間都沒有裝電話，她甚至表示，不論如何也不要裝電話。

她本身是一個銷售員，一整天下來幾乎是不停地在講電話。因此，晚上在家及週末的時候，她根本不想再講電話。她能在白天的時候，就把所有的私人電話處理完畢，而且，她的家人或朋友都知道，如果有事要找她，必須要打到辦公室去找她。

當然了，這種方式並不適合每一個人。如果你家中有小孩或是老人家，他們

就需要透過電話和你取得連繫，家裡如不裝電話，反而會造成更大的麻煩。但是，你可以評估一下，如果你的生活型態是那種沒有電話，也不會造成任何不方便的話，捨棄你的電話，將會爲你的生活帶來更多的寧靜，這對長期要過簡單生活的你，會有很大的幫助。

98 不要在床鋪的整理、佈置上花工夫

如果你的床讓你起床時感到滿意，那麼它也必然可以讓你滿意地再睡上去。

——安得・密納 一九五三

如果一個未經佈置的床鋪可以讓瑞夫・羅藍滿意，那麼，它也必然讓我感到滿意。

——作者 一九九三

毫無疑問的，過去四十年來的家務傳統是比較嚴苛的。讓我們看看床單的廣告就知道了。幾年來，瑞夫・羅藍開始針對未經佈置的床，打出許多令人心動的廣告，他强調要搭配各式各樣的床單、防塵褶邊、枕頭、罩單和被單，讓人看得眼花撩亂。這對五〇年代裡勤勞的家庭主婦來説，是一種很有個性的吸引力，

毫無疑問的，在我們的媽媽那一代，是不會讓床鋪空著的，佈置床鋪是她們認爲理所當然的事。當然了，那時候安得·密納的觀點，對我們一家人來說，等於是一種異端邪說。

現在，很幸運地，時代已經改變了。誰會在意床鋪有沒有經過佈置或整理？誰會去看你家的床鋪？我的一位好朋友，她堅定地相信不佈置或整理床鋪是對的，如果有任何人批評她的床太亂，相信她會和我一樣，給人一個意想不到的回答：「哦！我正在晾晒床單。」

現在，我已經完全接受安得·密納的看法了。這麼做，不僅使得生活更單純，而且，當我清晨離開床鋪時，我可以不用浪費時間去整理床鋪，再者，這麼做也讓我在離開床鋪時，可以帶走一點甜蜜的睡意，有時候，這種甜蜜睡意可以跟著我一整天都不消失。因此，爲什麼有人要花錢向那個叫瑞夫的傢伙買那些廢物，然後再套在床上呢？我真想不通。

99 丟掉所有多出來的東西

當我初進大學時，我丟掉所有老舊的紙板夾，然後很大方地花了許多錢，去買了一個號稱可以使用一輩子的活頁夾。

我真的很喜歡這個小活頁夾，這十五年來，我帶著它跑遍了全國，甚至跑遍全世界。

當我慢慢地有了額外的收入時，我開始大肆揮霍地去買半打的活頁夾，一個放在手提包；一個放在辦公桌；一個放在車上置物箱等等。

接著，有趣的事發生了。當我只有一個活頁夾時，我總是會記得它放在哪裡。一旦我有了這麼多個，當我要的時候，反而一個都找不到。幾年後，我發現這種情形，也發生在其他的事物上。

例如，一個人有了一個手錶，可以知道時間。但是，一個人有兩個手錶之後，反而不確定哪一個的時間才是正確的？哪一個才是錯的？他永遠都搞不懂。

這麼一來，他不僅要時常修正手錶的時間，還要不停地回想東西放在哪裡？

事實上，擁有多餘的東西，會讓我們的生活變得更複雜。我在很久以前，就把多餘的活頁夾丟掉了，最近我也把其他多餘的東西丟掉，像是眼鏡、墨鏡、鋼筆、雨傘、折疊小刀、鐵鎚和其他的工具，甚至我把多出來的電腦也處理掉了。這麼做，確實讓我的生活更單純了不少。

100 擁有一個非常簡單的衣櫥

如果你真的要過簡單的生活，這裡有另一個值得你注意的事項。

著名的華爾街上的銀行家，最讓人津津樂道的，是他們的衣櫥裡的衣物是最單純的；像是衣櫥裡面只有半打精巧訂做的西裝、一些完全相同的白襯衫和絲質領帶，還有幾雙黑皮鞋；這就是他們衣櫥裡全部的東西。他們就是這樣穿進穿出，數年如一日地穿著。他們的理由很簡單：他們每天有太多的決策要處理，因此，沒有時間去管穿著的事。

想想看！這樣的生活方式，是不是很單純？如果你可以比照這種方法，或是你有更好的方法，只要去做，必然會讓你的生活簡單又輕鬆的。

國家圖書館出版品預行編目資料

生活簡單就是享受：愛琳．詹姆絲作；吳達譯.

初版. --[臺北縣]三重市，新路，民85

面；　公分--（新視界叢書；001）

譯自：Simplify your life:100 ways to slow down and enjoy the things that really matter

ISBN 957-98983-0-8（平裝）

1. 簡化生活

192.5　　　　85008790

新視界叢書 001

新世紀・新觀念・新人生

生活簡單就是享受 (SIMPLIFY YOUR LIFE)

出版◇新路出版有限公司
作者◇愛琳・詹姆絲 (Elaine St. James)
譯者◇吳達
發行人◇王紹庭
出版總監◇吳森明
執行編輯◇王蓓齡
地址◇台北縣三重市重安街 102 號 8 樓
電話◇（02）2974-8139　　傳真◇（02）2974-8135
讀者服務專線◇（02）2977-6798
劃撥帳號◇18939001　　戶名：新路出版有限公司
局版台省業字第 301 號
總經銷◇新雨出版社
電話◇（02）2978-9528　　傳真◇（02）2978-9518
排版◇華馥電腦排版公司
出版日期◇1996 年 9 月初版一刷　◇1998 年 11 月初版九刷
定價◇180 元　　ISBN 957-98983-0-8
網址◇http://newroad.cjb.net

G.J.C

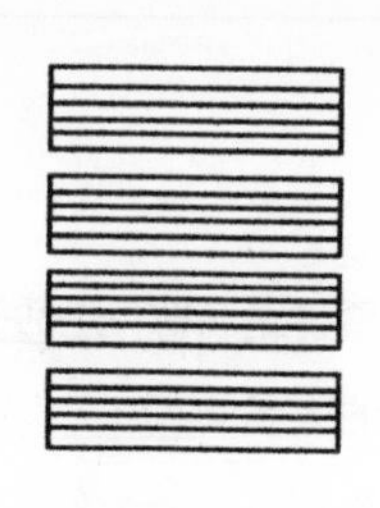

241 台北縣三重市重安街102號8樓

新路出版有限公司 收

TEL：(02)2974-8139 FAX：(02)2974-8135

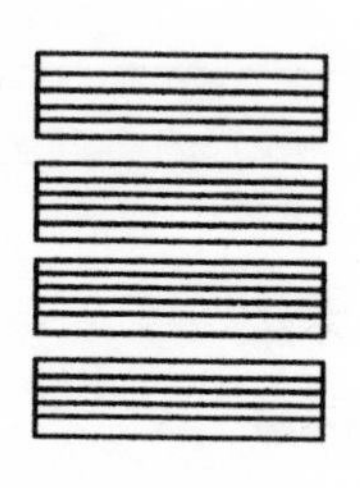

新路出版有限公司自創業以來，始終秉持著選好書、傳新知的理想，不斷出版適合廣大讀者閱讀的好書。但是，再怎麼縝密的選書、再如何細心的蒐羅，總是有「百密一疏」之時，因此，我們亟需您的建言與指教。如此，新路才能繼續於好中求好、新中求新，為廣大的讀者出版更多的好書。

您的每一意見，新路定會十分珍惜；您的每一建言，都能為新路帶來極大的啟發與繼續前進的動力。

新路期盼您的回信！

請填妥後對折裝訂，直接投郵即可，免貼郵票。

或請利用傳真：(02)2974-8135

新路出版有限公司

購買書籍名稱：生活簡單就是享受

您的大名：＿＿＿＿＿＿＿＿　性別：□ 男　□ 女

出生年月：＿＿＿＿年＿＿＿＿月＿＿＿＿日

教育程度：□ 國中　□ 高中　□大專　□ 研究所(以上)

職業：□ 學生　□ 工　□ 商　□ 軍　□ 公　□ 教　□ 服務業

□ 自由業　□ 家管　□ 其他＿＿＿＿＿＿＿＿

聯絡地址：＿＿＿＿市/縣＿＿＿＿市鎮鄉區＿＿＿＿路/街

＿＿＿＿段＿＿＿＿巷＿＿＿＿弄＿＿＿＿號＿＿＿＿樓之＿＿＿＿(室)

聯絡電話：（私）：＿＿＿＿＿＿＿＿（公）：＿＿＿＿＿＿＿＿

您覺得本書的內容：□ 佳　□ 尚可　□有待改進　□ 不好

您覺得本書的譯筆：□ 佳　□ 尚可　□有待改進　□ 不好

您覺得本書的編排：□ 佳　□ 尚可　□有待改進　□ 不好

您覺得本書的封面：□ 佳　□ 尚可　□有待改進　□ 不好

您覺得本書的裝幀：□ 佳　□ 尚可　□有待改進　□ 不好

訂價：□ 便宜　□合理　□太貴(您認爲合理的價格應爲：＿＿＿＿元)

您希望本公司出版哪類書籍：□ 生活小品　□ 勵志　□ 心理　□哲學

□ 名人著作　□ 解夢書籍　□親子教育　□ 愛情小品　□ 實用書籍

□ 其他＿＿＿＿＿＿＿＿

您希望本公司出版哪位作家的書：＿＿＿＿＿＿＿＿

對本公司的建言：